5

학년이 ✔ 꼭 알아야 할

사고력 연산

저자

왕수학연구소장 **박명전**
에듀왕부설초등교육연구소장 **김윤수**

• 기초 연산 능력 증진
• 사고를 통한 연산 능력 증진
• 사고력과 연산 능력 향상의 이중 효과

5학년이 꼭 ✓ 알아야 한 사고력연산

사고력연산 구성

◎ 1~2학년은 각각 1권씩, 3~6학년은 각각 2권씩으로 구성되어 있습니다.

◎ **개념** 연산의 기초개념과 원리를 다루었습니다.

◎ 사고력 기르기 **Step 1** 약간의 사고를 필요로 하는 연산 문제를 다루었습니다.

◎ 사고력 기르기 **Step 2** 좀 더 발전적인 사고를 필요로 하는 연산 문제를 다루었습니다.

◎ 실력 점검 한 단원을 마무리하는 문제를 다루었습니다.

사고력연산 특징

● 연산의 원리를 알고 계산할 수 있도록 구성하였습니다.

● 기초 연산 능력을 충분히 키울 수 있도록 구성하였습니다.

● 연산 능력과 사고력 향상이 동시에 이루어질 수 있는 문제를 다루었습니다.

● 사고를 통해 연산을 하는 과정에서 연산 능력이 저절로 향상될 수 있도록 구성하였습니다.

차례

Contents

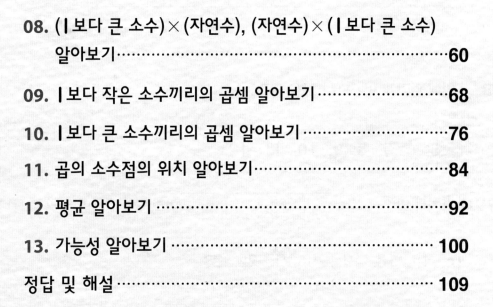

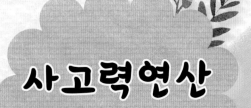

개념

- 15, 16.5, 17 등과 같이 15보다 크거나 같은 수를 15 이상인 수라고 합니다.

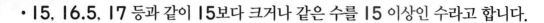

- 15, 14, 13.5 등과 같이 15보다 작거나 같은 수를 15 이하인 수라고 합니다.

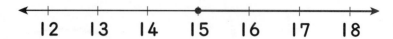

- 16, 17.5, 18 등과 같이 15보다 큰 수를 15 초과인 수라고 합니다.

- 14.7, 13, 12 등과 같이 15보다 작은 수를 15 미만인 수라고 합니다.

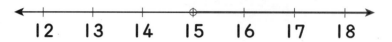

 수를 보고 □ 안에 알맞게 써넣으시오. (01~04)

01

| 5, 6, 7, 8, 9, 10, 11, 12 |

9보다 크거나 같은 수는 □, □, □, □ 이고 9 □ 인 수라고 합니다.

02

| 16, 17, 18, 19, 20, 21, 22, 23 |

19보다 작거나 같은 수는 □, □, □, □ 이고 19 □ 인 수라고 합니다.

03

| 14, 15, 16, 17, 18, 19, 20, 21 |

18보다 큰 수는 □, □, □ 이고 18 □ 인 수라고 합니다.

04

| 28, 29, 30, 31, 32, 33, 34, 35 |

31보다 작은 수는 □, □, □ 이고 31 □ 인 수라고 합니다.

수의 범위에 알맞은 수를 모두 찾아 ◯표 하시오. (05~08)

05 8 이상 16 이하인 수

> 17 8 5 16 7 24 19 20 11

06 11 이상 18 미만인 수

> 15 19 18 25 11 20 17 10

07 21 초과 28 이하인 수

> 19 21 30 28 25 35 23 26

08 36 초과 41 미만인 수

> 42 38 32 36 46 41 39 40

 수직선에 나타낸 수의 범위를 쓰시오. (09~12)

09
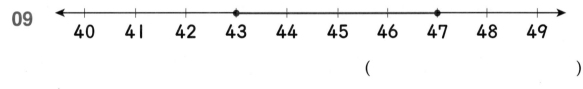

(   )

10
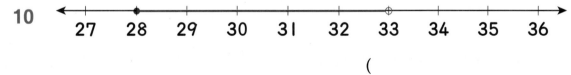

(   )

11
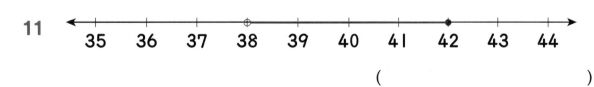

(   )

12
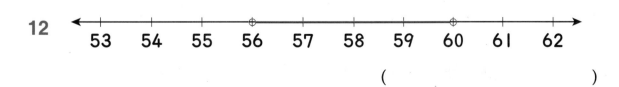

(   )

사고력 기르기

다음 수들의 범위를 나타내려고 합니다. ☐ 안에 알맞은 말을 써넣으시오. (01~04)

01

| 5, 6, 7, 8, 9, 10, 11 |

➡ 5 ☐ 11 ☐ 인 자연수

02

| 14, 15, 16, 17, 18, 19, 20 |

➡ 13 ☐ 21 ☐ 인 자연수

03

| 36, 37, 38, 39, 40, 41, 42 |

➡ 36 ☐ 43 ☐ 인 자연수

04

| 78, 79, 80, 81, 82, 83, 84 |

➡ 77 ☐ 84 ☐ 인 자연수

☐ 안에 알맞은 자연수를 써넣으시오. (05~08)

05 8 초과 17 미만인 자연수는 ☐ 이상 ☐ 이하인 자연수라고 할 수 있습니다.

06 19 초과 25 이하인 자연수는 ☐ 이상 ☐ 미만인 자연수라고 할 수 있습니다.

07 20 이상 27 미만인 자연수는 ☐ 초과 ☐ 이하인 자연수라고 할 수 있습니다.

08 68 이상 78 이하인 자연수는 ☐ 초과 ☐ 미만인 자연수라고 할 수 있습니다.

㉠과 ㉡을 모두 만족하는 자연수는 몇 개인지 구하시오. (09~11)

09

> ㉠ 7 이상 15 이하인 수 ㉡ 11 초과 18 이하인 수

(   )

10

> ㉠ 14 초과 36 미만인 수 ㉡ 21 이상 39 이하인 수

(   )

11

> ㉠ 35 이상 46 미만인 수 ㉡ 27 초과 40 미만인 수

(   )

다음 조건을 모두 만족하는 소수 한 자리 수는 몇 개인지 구하시오. (12~14)

12

> • 6 이상 8 미만인 수입니다.
> • 소수 첫째 자리의 숫자가 5 초과 7 이하인 수입니다.

(   )

13

> • 5 초과 7 이하인 수입니다.
> • 소수 첫째 자리의 숫자가 6 이상 9 미만인 수입니다.

(   )

14

> • 9 이상 12 미만인 수입니다.
> • 소수 첫째 자리의 숫자가 2 초과 5 미만인 수입니다.

(   )

 어느 박물관의 입장료는 다음과 같습니다. 가족들이 모두 박물관에 입장하려면 입장료는 얼마를 내야 하는지 구하시오. (01~04)

박물관 입장료

구분	어린이	청소년	성인
요금(원)	1000	1500	2000

어린이 : 8세 이상 13세 이하
청소년 : 13세 초과 20세 미만
성인 : 20세 이상 65세 미만
8세 미만과 65세 이상은 무료

01 영수네 가족은 9세인 영수, 13세인 형, 45세인 아버지, 42세인 어머니로 모두 4명입니다.

(   )

02 민철이네 가족은 11세인 민철, 14세인 형, 16세인 누나, 45세인 아버지, 43세인 어머니로 모두 5명입니다.

(   )

03 지혜네 가족은 7세인 지혜, 9세인 언니, 40세인 아버지, 38세인 어머니, 72세인 할아버지로 모두 5명입니다.

(   )

04 재민이네 가족은 12세인 재민, 15세인 형, 43세인 아버지, 40세인 어머니, 67세인 할머니로 모두 5명입니다.

(   )

5장의 숫자 카드 중 3장을 뽑아 조건을 만족하는 세 자리 수를 만들려고 합니다. 만들 수 있는 세 자리 수는 모두 몇 개인지 구하시오. (05~06)

05 ⟨2⟩ ⟨3⟩ ⟨4⟩ ⟨5⟩ ⟨6⟩

300 이상 500 이하인 수

(   )

06 ⟨1⟩ ⟨3⟩ ⟨5⟩ ⟨7⟩ ⟨9⟩

390 초과 795 이하인 수

(   )

 다음 조건을 모두 만족하는 네 자리 수를 구하시오. (07~08)

07
- 3000 초과 4000 미만인 수입니다.
- 백의 자리 숫자는 5 초과 7 미만인 수입니다.
- 십의 자리 숫자는 가장 큰 수입니다.
- 일의 자리 숫자는 가장 작은 수입니다.

(   )

08
- 5000 이상 6000 미만인 수입니다.
- 백의 자리 숫자는 짝수 중 가장 큰 수입니다.
- 십의 자리 숫자는 3 초과 5 미만인 수입니다.
- 일의 자리 숫자는 2 초과 8 이하인 수 중 가장 작은 수입니다.

(   )

실력 점검

 수의 범위에 알맞은 수를 모두 찾아 ○표 하시오. (01~04)

01 14 이상 21 이하인 수

| 11 | 14 | 39 | 21 | 25 | 29 | 18 | 30 |

02 26 이상 38 미만인 수

| 31 | 19 | 26 | 34 | 38 | 40 | 18 | 27 |

03 19 초과 26 이하인 수

| 19 | 28 | 20 | 26 | 17 | 25 | 22 | 18 |

04 65 초과 75 미만인 수

| 65 | 70 | 63 | 74 | 81 | 75 | 68 | 72 |

 수직선에 나타낸 수의 범위를 쓰시오. (05~08)

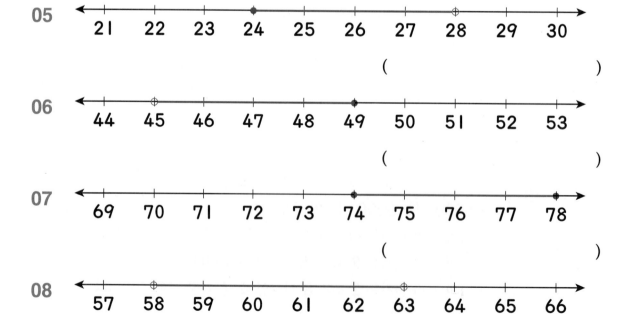

05
```
21  22  23  24  25  26  27  28  29  30
```
(   )

06
```
44  45  46  47  48  49  50  51  52  53
```
(   )

07
```
69  70  71  72  73  74  75  76  77  78
```
(   )

08
```
57  58  59  60  61  62  63  64  65  66
```
(   )

㉠과 ㉡을 모두 만족하는 자연수는 몇 개인지 구하시오. (09~10)

09

| ㉠ **24** 초과 **38** 미만인 수   ㉡ **34** 이상 **40** 이하인 수 |

(   )

10

| ㉠ **68** 이상 **78** 미만인 수   ㉡ **65** 초과 **74** 이하인 수 |

(   )

다음 조건을 모두 만족하는 소수 한 자리 수는 몇 개인지 구하시오. (11~12)

11

- **7** 이상 **9** 미만인 수입니다.
- 소수 첫째 자리의 숫자가 **4** 초과 **6** 이하인 수입니다.

(   )

12

- **6** 초과 **8** 이하인 수입니다.
- 소수 첫째 자리의 숫자가 **3** 이상 **6** 미만인 수입니다.

(   )

13 5장의 숫자 카드 3 , 4 , 5 , 8 , 9 중 3장을 뽑아 조건을 만족하는 세

자리 수를 만들려고 합니다. 만들 수 있는 세 자리 수는 모두 몇 개입니까?

480 이상 **850** 이하인 수

(   )

- 403을 십의 자리까지 나타내기 위해서 십의 자리 아래 수인 3을 10으로 보고 410으로 나타낼 수 있습니다. 이와 같이 구하려고 하는 자리 아래 수를 올려서 나타내는 방법을 올림이라고 합니다.

  예 403은 십의 자리 아래 수를 올림하면 410, 백의 자리 아래 수를 올림하면 500입니다.

- 1465를 백의 자리까지 나타내기 위해서 백의 자리 아래 수인 65를 0으로 보고 1400으로 나타낼 수 있습니다. 이와 같이 구하려고 하는 자리 아래 수를 버려서 나타내는 방법을 버림이라고 합니다.

  예 1465는 십의 자리 아래 수를 버림하면 1460, 백의 자리 아래 수를 버림하면 1400, 천의 자리 아래 수를 버림하면 1000입니다.

- 구하려는 자리 바로 아래 자리의 숫자가 0, 1, 2, 3, 4이면 버리고, 5, 6, 7, 8, 9이면 올리는 방법을 반올림이라고 합니다.

  예 947을 일의 자리에서 반올림하면 950, 십의 자리에서 반올림하면 900입니다.

⬜ 안에 알맞은 수를 써넣으시오. (01~03)

01

24576

- 십의 자리 아래 수를 올림하면 ⬜ 입니다.
- 백의 자리 아래 수를 올림하면 ⬜ 입니다.
- 천의 자리 아래 수를 올림하면 ⬜ 입니다.
- 만의 자리 아래 수를 올림하면 ⬜ 입니다.

02

36871

- 십의 자리 아래 수를 버림하면 ⬜ 입니다.
- 백의 자리 아래 수를 버림하면 ⬜ 입니다.
- 천의 자리 아래 수를 버림하면 ⬜ 입니다.
- 만의 자리 아래 수를 버림하면 ⬜ 입니다.

03

58463

- 일의 자리에서 반올림하여 나타내면 ⬜ 입니다.
- 십의 자리에서 반올림하여 나타내면 ⬜ 입니다.
- 반올림하여 천의 자리까지 나타내면 ⬜ 입니다.
- 반올림하여 만의 자리까지 나타내면 ⬜ 입니다.

04 수를 올림하여 빈칸에 써넣으시오.

수	십의 자리까지	백의 자리까지	천의 자리까지	만의 자리까지
13579				
32651				
49580				
80569				
98601				

05 수를 버림하여 빈칸에 써넣으시오.

수	십의 자리까지	백의 자리까지	천의 자리까지	만의 자리까지
29657				
38950				
95842				
80568				
62507				

06 수를 반올림하여 빈칸에 써넣으시오.

수	십의 자리까지	백의 자리까지	천의 자리까지	만의 자리까지
24680				
35842				
69581				
40568				
98765				

사고력 기르기

 주어진 5장의 숫자 카드를 모두 사용하여 만들 수 있는 가장 큰 다섯 자리 수를 올림, 버림, 반올림하여 백의 자리까지 나타내어 보시오. (01~02)

01

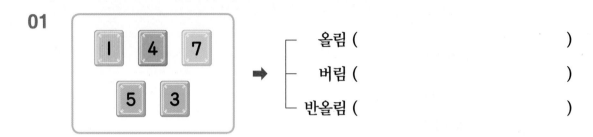

| 1 | 4 | 7 |
| 5 | 3 |

➡

올림 (   )

버림 (   )

반올림 (   )

02

| 2 | 0 | 9 |
| 3 | 8 |

➡

올림 (   )

버림 (   )

반올림 (   )

 주어진 5장의 숫자 카드를 모두 사용하여 만들 수 있는 가장 작은 다섯 자리 수를 올림, 버림, 반올림하여 천의 자리까지 나타내어 보시오. (03~04)

03

| 9 | 5 | 3 |
| 2 | 6 |

➡

올림 (   )

버림 (   )

반올림 (   )

04

| 5 | 0 | 7 |
| 4 | 2 |

➡

올림 (   )

버림 (   )

반올림 (   )

영수가 처음에 생각한 자연수는 무엇인지 구하시오. (05~07)

05

영수가 생각한 자연수에 **7**을 곱한 후 십의 자리 아래 수를 올림하면 **80**이 됩니다.

(   )

06

영수가 생각한 자연수에 **13**을 곱한 후 십의 자리 아래 수를 버림하면 **90**이 됩니다.

(   )

07

영수가 생각한 자연수에 **14**를 곱한 후 반올림하여 십의 자리까지 나타내면 **250**이 됩니다.

(   )

다음 조건을 만족하는 자연수 중에서 가장 큰 수와 가장 작은 수의 차를 구하시오. (08~10)

08

올림하여 백의 자리까지 나타냈을 때 **7500**이 되는 자연수

(   )

09

버림하여 천의 자리까지 나타냈을 때 **29000**이 되는 자연수

(   )

10

반올림하여 백의 자리까지 나타냈을 때 **2400**이 되는 자연수

(   )

 어떤 자연수가 될 수 있는 수의 범위를 이상과 미만을 사용하여 나타내어 보시오. (01~02)

01

> 어떤 자연수를 십의 자리에서 반올림하였더니 **8700**이 되었습니다.

(   )

02

> 어떤 자연수를 반올림하여 천의 자리까지 나타내었더니 **16000**이 되었습니다.

(   )

03   설명하는 수가 가장 큰 것부터 차례로 기호를 쓰시오.

> ㉠ 올림하여 백의 자리까지 나타내면 **5700**이 되는 수 중에서 가장 큰 자연수
> ㉡ 버림하여 백의 자리까지 나타내면 **5700**이 되는 수 중에서 가장 큰 자연수
> ㉢ 반올림하여 백의 자리까지 나타내면 **5700**이 되는 수 중에서 가장 큰 자연수

(   )

04   설명하는 수가 가장 작은 것부터 차례로 기호를 쓰시오.

> ㉠ 올림하여 천의 자리까지 나타내면 **69000**이 되는 수 중에서 가장 작은 자연수
> ㉡ 버림하여 천의 자리까지 나타내면 **69000**이 되는 수 중에서 가장 작은 자연수
> ㉢ 반올림하여 천의 자리까지 나타내면 **69000**이 되는 수 중에서 가장 작은 자연수

(   )

주어진 수를 올림하여 백의 자리까지 나타낸 수와 반올림하여 백의 자리까지 나타낸 수가 같습니다. ☐ 안에 들어갈 수 있는 숫자를 모두 구하시오. (05~06)

05

825☐3 ➡ (   )

06

627☐5 ➡ (   )

주어진 수를 버림하여 천의 자리까지 나타낸 수와 반올림하여 천의 자리까지 나타낸 수가 같습니다. ☐ 안에 들어갈 수 있는 숫자를 모두 구하시오. (07~08)

07

725☐38 ➡ (   )

08

897☐35 ➡ (   )

09 다음 조건을 모두 만족하는 세 자리 자연수를 모두 써 보시오.

> ㉠ 올림하여 십의 자리까지 나타내면 **360**입니다.
> ㉡ 버림하여 십의 자리까지 나타내면 **350**입니다.
> ㉢ 반올림하여 십의 자리까지 나타내면 **350**입니다.

(   )

01 □ 안에 알맞은 수를 써넣으시오.

68259

십의 자리 아래 수를 올림하면 [ ] 입니다.

백의 자리 아래 수를 버림하면 [ ] 입니다.

백의 자리에서 반올림하여 나타내면 [ ] 입니다.

반올림하여 만의 자리까지 나타내면 [ ] 입니다.

02 수를 올림하여 빈칸에 써넣으시오.

수	십의 자리까지	백의 자리까지	천의 자리까지	만의 자리까지
69852				
40589				
98632				

03 수를 버림하여 빈칸에 써넣으시오.

수	십의 자리까지	백의 자리까지	천의 자리까지	만의 자리까지
75321				
68950				
89062				

04 수를 반올림하여 빈칸에 써넣으시오.

수	십의 자리까지	백의 자리까지	천의 자리까지	만의 자리까지
24859				
39427				
69508				

05 주어진 **5**장의 숫자 카드를 모두 사용하여 만들 수 있는 가장 큰 다섯 자리 수를 올림, 버림, 반올림하여 백의 자리까지 나타내어 보시오.

올림 (   )

버림 (   )

반올림 (   )

06 예슬이가 생각한 자연수에 **9**를 곱한 후 반올림하여 십의 자리까지 나타내면 **130**이 됩니다. 예슬이가 처음에 생각한 자연수는 무엇입니까?

(   )

07 버림하여 백의 자리까지 나타내었을 때 **13500**이 되는 자연수 중 가장 큰 수와 가장 작은 수의 차를 구하시오.

(   )

08 어떤 자연수를 일의 자리에서 반올림하였더니 **1750**이 되었습니다. 어떤 자연수가 될 수 있는 수의 범위를 이상과 이하를 사용하여 나타내어 보시오.

(   )

09 주어진 수를 버림하여 천의 자리까지 나타낸 수와 반올림하여 천의 자리까지 나타낸 수가 같습니다. ☐ 안에 들어갈 수 있는 숫자를 모두 구하시오.

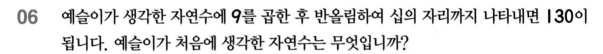

798☐10   ➡   (   )

03 (진분수)×(자연수), (자연수)×(진분수) 알아보기

1. (진분수)×(자연수)

   분수의 분자와 자연수를 곱하여 계산합니다.

   $$\frac{2}{5} \times 3 = \frac{2 \times 3}{5} = \frac{6}{5} = 1\frac{1}{5}$$

2. (자연수)×(진분수)

   자연수와 분수의 분자를 곱하여 계산합니다.

   $$8 \times \frac{3}{5} = \frac{8 \times 3}{5} = \frac{24}{5} = 4\frac{4}{5}$$

01 $\frac{3}{4} \times 6$을 계산하려고 합니다. ☐ 안에 알맞은 수를 써넣으시오.

(1) 곱을 구한 다음 약분하여 계산하기

$$\frac{3}{4} \times 6 = \frac{3 \times 6}{4} = \frac{\overset{\boxed{}}{\cancel{18}}}{\underset{\boxed{}}{\cancel{4}}} = \frac{\boxed{}}{2} = \boxed{}\frac{\boxed{}}{2}$$

(2) 주어진 곱셈에서 바로 약분하여 계산하기

$$\frac{3}{\underset{\boxed{}}{\cancel{4}}} \times \cancel{6}^{\boxed{}} = \frac{\boxed{}}{2} = \boxed{}\frac{\boxed{}}{2}$$

02 $12 \times \frac{2}{9}$를 계산하려고 합니다. ☐ 안에 알맞은 수를 써넣으시오.

(1) 곱을 구한 다음 약분하여 계산하기

$$12 \times \frac{2}{9} = \frac{12 \times 2}{9} = \frac{\overset{\boxed{}}{\cancel{24}}}{\underset{\boxed{}}{\cancel{9}}} = \frac{\boxed{}}{3} = \boxed{}\frac{\boxed{}}{3}$$

(2) 주어진 곱셈에서 바로 약분하여 계산하기

$$\cancel{12}^{\boxed{}} \times \frac{2}{\underset{\boxed{}}{\cancel{9}}} = \frac{\boxed{}}{3} = \boxed{}\frac{\boxed{}}{3}$$

보기
$$\frac{4}{\underset{3}{\cancel{9}}} \times \overset{2}{\cancel{6}} = \frac{8}{3} = 2\frac{2}{3} \qquad \overset{4}{\cancel{8}} \times \frac{5}{\underset{3}{\cancel{6}}} = \frac{20}{3} = 6\frac{2}{3}$$

03 $\quad \dfrac{1}{4} \times 10$

04 $\quad 8 \times \dfrac{5}{12}$

05 $\quad \dfrac{2}{9} \times 27$

06 $\quad 15 \times \dfrac{5}{6}$

07 $\quad \dfrac{3}{10} \times 16$

08 $\quad 10 \times \dfrac{7}{8}$

 계산을 하시오. (09~16)

09 $\quad \dfrac{3}{4} \times 6$

10 $\quad 8 \times \dfrac{4}{5}$

11 $\quad \dfrac{9}{10} \times 14$

12 $\quad 14 \times \dfrac{3}{7}$

13 $\quad \dfrac{7}{12} \times 20$

14 $\quad 24 \times \dfrac{7}{18}$

15 $\quad \dfrac{7}{10} \times 32$

16 $\quad 45 \times \dfrac{5}{36}$

사고력 기르기

 ☐ 안에 알맞은 수를 써넣으시오. (01~04)

01 2시간의 $\dfrac{1}{5}$ 은 ☐ 분입니다.

02 4 L의 $\dfrac{11}{25}$ 은 ☐ mL입니다.

03 5 m의 $\dfrac{3}{4}$ 은 ☐ cm입니다.

04 12 kg의 $\dfrac{3}{40}$ 은 ☐ g입니다.

 ☐ 안에 알맞은 수를 써넣으시오. (05~12)

05 $\dfrac{3}{4} \times$ ☐ $= 3\dfrac{3}{4}$

06 ☐ $\times \dfrac{3}{5} = 3\dfrac{3}{5}$

07 $\dfrac{6}{7} \times$ ☐ $= 6\dfrac{6}{7}$

08 ☐ $\times \dfrac{4}{9} = 4\dfrac{4}{9}$

09 $\dfrac{5}{8} \times$ ☐ $= 7\dfrac{1}{2}$

10 ☐ $\times \dfrac{7}{12} = 9\dfrac{1}{3}$

11 $\dfrac{7}{9} \times$ ☐ $= 4\dfrac{2}{3}$

12 ☐ $\times \dfrac{5}{14} = 2\dfrac{1}{2}$

▨ 안에 들어갈 수 있는 자연수는 모두 몇 개인지 구하시오. (단, 주어진 분수는 진분수입니다.) (13~16)

13

$$\dfrac{3}{▨} \times 5 = (자연수)$$

(　　　　　)

14

$$\dfrac{2}{▨} \times 12 = (자연수)$$

(　　　　　)

15

$$10 \times \dfrac{5}{▨} = (자연수)$$

(　　　　　)

16

$$15 \times \dfrac{4}{▨} = (자연수)$$

(　　　　　)

 일정한 규칙으로 분수를 늘어놓았습니다. 25번째에 놓일 분수를 구하시오. (17~19)

17

$$\dfrac{5}{9},\ 1\dfrac{2}{9},\ 1\dfrac{8}{9},\ 2\dfrac{5}{9},\ 3\dfrac{2}{9},\ 3\dfrac{8}{9},\ \cdots$$

(　　　　　)

18

$$\dfrac{1}{4},\ \dfrac{9}{20},\ \dfrac{13}{20},\ \dfrac{17}{20},\ 1\dfrac{1}{20},\ 1\dfrac{1}{4},\ \cdots$$

(　　　　　)

19

$$\dfrac{1}{6},\ \dfrac{5}{12},\ \dfrac{2}{3},\ \dfrac{11}{12},\ 1\dfrac{1}{6},\ 1\dfrac{5}{12},\ \cdots$$

(　　　　　)

 ■, ▲는 자연수이고, 1 < ■ < ▲입니다. 주어진 식을 성립시키는 여러 가지 식을 만들어 보시오. (01~04)

01

$$\frac{■}{15} \times ▲ = 1\frac{1}{5}$$

$$\frac{\square}{15} \times \square = 1\frac{1}{5} \qquad \frac{\square}{15} \times \square = 1\frac{1}{5}$$

02

$$▲ \times \frac{■}{8} = 2\frac{1}{2}$$

$$\square \times \frac{\square}{8} = 2\frac{1}{2} \qquad \square \times \frac{\square}{8} = 2\frac{1}{2}$$

03

$$\frac{■}{13} \times ▲ = 1\frac{11}{13}$$

$$\frac{\square}{13} \times \square = 1\frac{11}{13} \qquad \frac{\square}{13} \times \square = 1\frac{11}{13} \qquad \frac{\square}{13} \times \square = 1\frac{11}{13}$$

04

$$▲ \times \frac{■}{18} = 1\frac{2}{3}$$

$$\square \times \frac{\square}{18} = 1\frac{2}{3} \qquad \square \times \frac{\square}{18} = 1\frac{2}{3} \qquad \square \times \frac{\square}{18} = 1\frac{2}{3}$$

■, ▲, ●는 서로 다른 한 자리 자연수입니다. 주어진 식을 성립시키는 여러 가지 식을 만들어 보시오. (단, 주어진 분수는 진분수입니다.) (05~07)

05

$$\frac{2}{\square} \times \square = \square \qquad \frac{2}{\square} \times \square = \square \qquad \frac{2}{\square} \times \square = \square$$

$$\frac{2}{\square} \times \square = \square \qquad \frac{2}{\square} \times \square = \square \qquad \frac{2}{\square} \times \square = \square$$

$$\frac{2}{\square} \times \square = \square$$

06

$$\frac{3}{\square} \times ▲ = ●$$

$$\frac{3}{\square} \times \square = \square \qquad \frac{3}{\square} \times \square = \square \qquad \frac{3}{\square} \times \square = \square$$

$$\frac{3}{\square} \times \square = \square \qquad \frac{3}{\square} \times \square = \square \qquad \frac{3}{\square} \times \square = \square$$

07

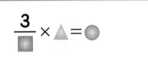

$$\frac{4}{\square} \times \square = \square \qquad \frac{4}{\square} \times \square = \square \qquad \frac{4}{\square} \times \square = \square$$

$$\frac{4}{\square} \times \square = \square$$

실력 점검

 ☐ 안에 알맞은 수를 써넣으시오. (01~04)

01 $\dfrac{5}{6} \times 9 = \dfrac{5 \times \square}{6} = \dfrac{45}{\cancel{6}_{\square}}^{\square} = \dfrac{\square}{\square} = \square\dfrac{\square}{\square}$

02 $\dfrac{5}{9} \times 12 = \dfrac{5 \times \cancel{12}^{\square}}{\cancel{9}_{\square}} = \dfrac{\square}{\square} = \square\dfrac{\square}{\square}$

03 $4 \times \dfrac{5}{8} = \dfrac{4 \times \square}{8} = \dfrac{20}{\cancel{8}_{\square}}^{\square} = \dfrac{\square}{\square} = \square\dfrac{\square}{\square}$

04 $6 \times \dfrac{7}{10} = \dfrac{\cancel{6}^{\square} \times 7}{\cancel{10}_{\square}} = \dfrac{\square}{\square} = \square\dfrac{\square}{\square}$

 계산을 하시오. (05~12)

05 $\dfrac{7}{12} \times 8$

06 $8 \times \dfrac{11}{12}$

07 $\dfrac{17}{20} \times 15$

08 $10 \times \dfrac{4}{15}$

09 $\dfrac{5}{18} \times 16$

10 $15 \times \dfrac{11}{25}$

11 $\dfrac{7}{24} \times 18$

12 $18 \times \dfrac{17}{30}$

 □ 안에 알맞은 수를 써넣으시오. (13~16)

13 $\dfrac{5}{6} \times \boxed{} = 4\dfrac{1}{6}$

14 $\boxed{} \times \dfrac{4}{5} = 2\dfrac{2}{5}$

15 $\dfrac{5}{8} \times \boxed{} = 2\dfrac{1}{2}$

16 $\boxed{} \times \dfrac{3}{16} = 1\dfrac{7}{8}$

 ■ 안에 들어갈 수 있는 자연수는 모두 몇 개인지 구하시오. (단, 주어진 분수는 진분수입니다.) (17~18)

17
$$\dfrac{2}{\blacksquare} \times 18 = (자연수)$$
(   )

18
$$8 \times \dfrac{6}{\blacksquare} = (자연수)$$
(   )

 ■, ▲는 자연수이고, 1<■<▲입니다. 주어진 식을 성립시키는 여러 가지 식을 만들어 보시오. (19~20)

19
$$\dfrac{\blacksquare}{12} \times \blacktriangle = 1\dfrac{1}{2}$$
$\dfrac{\boxed{}}{12} \times \boxed{} = 1\dfrac{1}{2}$ $\dfrac{\boxed{}}{12} \times \boxed{} = 1\dfrac{1}{2}$

20
$$\blacktriangle \times \dfrac{\blacksquare}{20} = 2\dfrac{2}{5}$$
$\boxed{} \times \dfrac{\boxed{}}{20} = 2\dfrac{2}{5}$ $\boxed{} \times \dfrac{\boxed{}}{20} = 2\dfrac{2}{5}$

$\boxed{} \times \dfrac{\boxed{}}{20} = 2\dfrac{2}{5}$ $\boxed{} \times \dfrac{\boxed{}}{20} = 2\dfrac{2}{5}$

04 (대분수)×(자연수), (자연수)×(대분수) 알아보기

개념

- 대분수를 자연수 부분과 분수 부분으로 나누어 각각 자연수를 곱해 서로 더합니다.

  (예) $1\dfrac{1}{4}\times2=\left(1+\dfrac{1}{4}\right)\times2=(1\times2)+\left(\dfrac{1}{\cancel{4}_2}\times\overset{1}{\cancel{2}}\right)=2+\dfrac{1}{2}=2\dfrac{1}{2}$

  $3\times1\dfrac{2}{5}=3\times\left(1+\dfrac{2}{5}\right)=(3\times1)+\left(3\times\dfrac{2}{5}\right)=3+1\dfrac{1}{5}=4\dfrac{1}{5}$

- 대분수를 가분수로 고친 후 분수의 분자와 자연수를 곱합니다.

  (예) $1\dfrac{1}{4}\times2=\dfrac{5}{\cancel{4}_2}\times\overset{1}{\cancel{2}}=\dfrac{5}{2}=2\dfrac{1}{2}$

  $3\times1\dfrac{2}{5}=3\times\dfrac{7}{5}=\dfrac{21}{5}=4\dfrac{1}{5}$

□ 안에 알맞은 수를 써넣으시오. (01~04)

01 $2\dfrac{1}{6}\times3=\left(2+\dfrac{1}{6}\right)\times\boxed{}=(2\times\boxed{})+\left(\dfrac{\boxed{}}{6}\times\boxed{}\right)$

$=\boxed{}+\dfrac{\boxed{}}{2}=\boxed{}\dfrac{\boxed{}}{2}$

02 $3\dfrac{3}{4}\times6=\left(3+\dfrac{3}{4}\right)\times\boxed{}=(3\times\boxed{})+\left(\dfrac{\boxed{}}{4}\times\boxed{}\right)$

$=\boxed{}+\boxed{}\dfrac{\boxed{}}{2}=\boxed{}\dfrac{\boxed{}}{2}$

03 $4\times1\dfrac{3}{5}=\boxed{}\times\left(1+\dfrac{3}{5}\right)=(\boxed{}\times1)+\left(\boxed{}\times\dfrac{\boxed{}}{5}\right)$

$=\boxed{}+\boxed{}\dfrac{\boxed{}}{5}=\boxed{}\dfrac{\boxed{}}{5}$

04 $6\times2\dfrac{3}{4}=\boxed{}\times\left(2+\dfrac{3}{4}\right)=(\boxed{}\times2)+\left(\boxed{}\times\dfrac{\boxed{}}{4}\right)$

$=\boxed{}+\boxed{}\dfrac{\boxed{}}{2}=\boxed{}\dfrac{\boxed{}}{2}$

대분수를 가분수로 고쳐서 계산하시오. (05~08)

05 $1\frac{3}{5} \times 2 =$ _____

06 $2\frac{3}{4} \times 3 =$ _____

07 $4 \times 1\frac{3}{8} =$ _____

08 $9 \times 2\frac{2}{3} =$ _____

 계산을 하시오. (09~16)

09 $1\frac{4}{5} \times 6$

10 $3 \times 1\frac{7}{9}$

11 $2\frac{1}{3} \times 9$

12 $2 \times 2\frac{1}{3}$

13 $2\frac{2}{7} \times 3$

14 $4 \times 7\frac{1}{2}$

15 $3\frac{7}{10} \times 6$

16 $8 \times 1\frac{7}{12}$

 □ 안에 알맞은 수를 써넣으시오. (01~08)

01 $2\dfrac{1}{3} \times \boxed{} = 4\dfrac{2}{3}$

02 $\boxed{} \times 4\dfrac{3}{4} = 14\dfrac{1}{4}$

03 $1\dfrac{3}{5} \times \boxed{} = 6\dfrac{2}{5}$

04 $\boxed{} \times 2\dfrac{1}{6} = 10\dfrac{5}{6}$

05 $2\dfrac{1}{4} \times \boxed{} = 4\dfrac{1}{2}$

06 $\boxed{} \times 3\dfrac{4}{9} = 20\dfrac{2}{3}$

07 $3\dfrac{3}{8} \times \boxed{} = 20\dfrac{1}{4}$

08 $\boxed{} \times 3\dfrac{3}{10} = 13\dfrac{1}{5}$

 ■, ▲는 자연수입니다. 주어진 식을 성립시키는 여러 가지 식을 만들어 보시오. (09~10)

09

$$1\dfrac{\blacksquare}{5} \times \blacktriangle = 3\dfrac{3}{5}$$

$1\dfrac{\boxed{}}{5} \times \boxed{} = 3\dfrac{3}{5}$ $1\dfrac{\boxed{}}{5} \times \boxed{} = 3\dfrac{3}{5}$

10

$$1\dfrac{\blacksquare}{8} \times \blacktriangle = 3\dfrac{3}{4}$$

$1\dfrac{\boxed{}}{8} \times \boxed{} = 3\dfrac{3}{4}$ $1\dfrac{\boxed{}}{8} \times \boxed{} = 3\dfrac{3}{4}$

주어진 4장의 숫자 카드를 모두 사용하여 (대분수)×(자연수)를 만들려고 합니다. 계산 결과가 가장 큰 식과 가장 작은 식을 각각 만들어 계산해 보시오. (11~13)

11

| 1 | 2 | 3 | 4 |

➡ 계산 결과가 가장 큰 식 : □ □/□ × □ = □

계산 결과가 가장 작은 식 : □ □/□ × □ = □ □/□

12

| 1 | 3 | 5 | 7 |

➡ 계산 결과가 가장 큰 식 : □ □/□ × □ = □ □/□

계산 결과가 가장 작은 식 : □ □/□ × □ = □ □/□

13

| 2 | 3 | 5 | 8 |

➡ 계산 결과가 가장 큰 식 : □ □/□ × □ = □ □/□

계산 결과가 가장 작은 식 : □ □/□ × □ = □ □/□

 5장의 숫자 카드 중 4장을 뽑아 계산 결과가 자연수인 (대분수)×(자연수)를 모두 만들어 보시오. (01~03)

01

$$\square\dfrac{\square}{\square}\times\square=\square \qquad \square\dfrac{\square}{\square}\times\square=\square$$

02

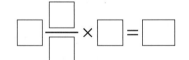

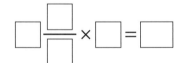

03

$$\square\dfrac{\square}{\square}\times\square=\square \qquad \square\dfrac{\square}{\square}\times\square=\square \qquad \square\dfrac{\square}{\square}\times\square=\square$$

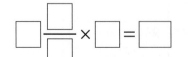 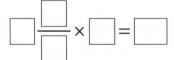 

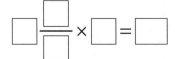 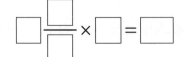 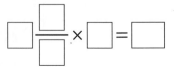

■, ▲, ●는 서로 다른 자연수입니다. 주어진 식을 성립시키는 여러 가지 식을 만들어 보시오. (단, ■와 ▲는 한 자리 수입니다.) (04~06)

04

$$1\frac{4}{■} \times ▲ = ●$$

$1\dfrac{4}{\square} \times \square = \square$ $1\dfrac{4}{\square} \times \square = \square$ $1\dfrac{4}{\square} \times \square = \square$

$1\dfrac{4}{\square} \times \square = \square$ $1\dfrac{4}{\square} \times \square = \square$

05

$$▲ \times 2\frac{6}{■} = ●$$

$\square \times 2\dfrac{6}{\square} = \square$ $\square \times 2\dfrac{6}{\square} = \square$ $\square \times 2\dfrac{6}{\square} = \square$

06

$$1\frac{2}{■} \times ▲ = ●$$

$1\dfrac{2}{\square} \times \square = \square$ $1\dfrac{2}{\square} \times \square = \square$ $1\dfrac{2}{\square} \times \square = \square$

$1\dfrac{2}{\square} \times \square = \square$ $1\dfrac{2}{\square} \times \square = \square$ $1\dfrac{2}{\square} \times \square = \square$

$1\dfrac{2}{\square} \times \square = \square$ $1\dfrac{2}{\square} \times \square = \square$

 대분수를 자연수 부분과 분수 부분으로 나누어 계산하시오. (01~02)

01 $3\dfrac{2}{5} \times 4 =$

_____

02 $6 \times 2\dfrac{3}{4} =$

_____

 대분수를 가분수로 고쳐서 계산하시오. (03~04)

03 $2\dfrac{1}{8} \times 3 =$

_____

04 $5 \times 3\dfrac{1}{6} =$

_____

 계산을 하시오. (05~12)

05 $1\dfrac{2}{3} \times 6$

06 $3 \times 2\dfrac{5}{6}$

07 $4\dfrac{3}{8} \times 2$

08 $8 \times 2\dfrac{1}{4}$

09 $2\dfrac{7}{10} \times 6$

10 $5 \times 3\dfrac{1}{2}$

11 $3\dfrac{4}{15} \times 10$

12 $6 \times 1\dfrac{5}{14}$

 ☐ 안에 알맞은 수를 써넣으시오. (13~16)

13 $2\dfrac{2}{5} \times \boxed{} = 7\dfrac{1}{5}$

14 $\boxed{} \times 1\dfrac{3}{4} = 5\dfrac{1}{4}$

15 $3\dfrac{5}{6} \times \boxed{} = 7\dfrac{2}{3}$

16 $\boxed{} \times 2\dfrac{1}{6} = 8\dfrac{2}{3}$

17 주어진 **4**장의 숫자 카드를 모두 사용하여 (대분수)×(자연수)를 만들려고 합니다. 계산 결과가 가장 큰 식과 가장 작은 식을 각각 만들어 계산해 보시오.

→
계산 결과가 가장 큰 식 : $\boxed{}\dfrac{\boxed{}}{\boxed{}} \times \boxed{} = \boxed{}\dfrac{\boxed{}}{\boxed{}}$

계산 결과가 가장 작은 식 : $\boxed{}\dfrac{\boxed{}}{\boxed{}} \times \boxed{} = \boxed{}\dfrac{\boxed{}}{\boxed{}}$

18 **5**장의 숫자 카드 중 **4**장을 뽑아 계산 결과가 자연수인 (자연수)×(대분수)를 모두 만들어 보시오.

$\boxed{} \times \boxed{}\dfrac{\boxed{}}{\boxed{}} = \boxed{}$ $\boxed{} \times \boxed{}\dfrac{\boxed{}}{\boxed{}} = \boxed{}$ $\boxed{} \times \boxed{}\dfrac{\boxed{}}{\boxed{}} = \boxed{}$

$\boxed{} \times \boxed{}\dfrac{\boxed{}}{\boxed{}} = \boxed{}$ $\boxed{} \times \boxed{}\dfrac{\boxed{}}{\boxed{}} = \boxed{}$ $\boxed{} \times \boxed{}\dfrac{\boxed{}}{\boxed{}} = \boxed{}$

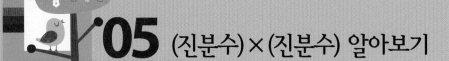

개념

1. (단위분수)×(단위분수)

분자는 그대로 두고 분모끼리 곱합니다.

$$\frac{1}{3} \times \frac{1}{2} = \frac{1}{3 \times 2} = \frac{1}{6}$$

2. (진분수)×(진분수)

분자는 분자끼리, 분모는 분모끼리 곱합니다.

$$\frac{4}{5} \times \frac{7}{8} = \frac{4 \times 7}{5 \times 8} = \frac{28}{40} = \frac{7}{10}$$

 □ 안에 알맞은 수를 써넣으시오. (01~07)

01 $\dfrac{1}{3} \times \dfrac{1}{4} = \dfrac{1}{\boxed{} \times \boxed{}} = \dfrac{1}{\boxed{}}$

02 $\dfrac{1}{5} \times \dfrac{1}{4} = \dfrac{1}{\boxed{} \times \boxed{}} = \dfrac{1}{\boxed{}}$

03 $\dfrac{1}{7} \times \dfrac{1}{2} = \dfrac{1}{\boxed{} \times \boxed{}} = \dfrac{1}{\boxed{}}$

04 $\dfrac{1}{9} \times \dfrac{1}{6} = \dfrac{1}{\boxed{} \times \boxed{}} = \dfrac{1}{\boxed{}}$

05 $\dfrac{2}{3} \times \dfrac{4}{7} = \dfrac{\boxed{} \times 4}{3 \times \boxed{}} = \dfrac{\boxed{}}{\boxed{}}$

06 $\dfrac{4}{11} \times \dfrac{7}{20} = \dfrac{\cancel{4} \times \boxed{}}{\boxed{} \times \cancel{20}_{\boxed{}}} = \dfrac{\boxed{}}{\boxed{}}$

07 $\dfrac{4}{5} \times \dfrac{2}{3} \times \dfrac{3}{7} = \dfrac{\boxed{} \times 2 \times \cancel{3}}{5 \times \cancel{3} \times \boxed{}} = \dfrac{\boxed{}}{\boxed{}}$

계산을 하시오. (08~13)

08 $\dfrac{1}{3} \times \dfrac{1}{5}$

09 $\dfrac{1}{5} \times \dfrac{1}{7}$

10 $\dfrac{1}{4} \times \dfrac{1}{7}$

11 $\dfrac{1}{8} \times \dfrac{1}{8}$

12 $\dfrac{1}{10} \times \dfrac{1}{4}$

13 $\dfrac{1}{6} \times \dfrac{1}{12}$

 계산을 하시오. (14~27)

14 $\dfrac{6}{7} \times \dfrac{1}{5}$

15 $\dfrac{1}{9} \times \dfrac{3}{8}$

16 $\dfrac{7}{10} \times \dfrac{1}{4}$

17 $\dfrac{1}{8} \times \dfrac{4}{7}$

18 $\dfrac{3}{5} \times \dfrac{2}{3}$

19 $\dfrac{7}{8} \times \dfrac{2}{5}$

20 $\dfrac{5}{6} \times \dfrac{2}{15}$

21 $\dfrac{3}{20} \times \dfrac{5}{36}$

22 $\dfrac{11}{12} \times \dfrac{6}{7}$

23 $\dfrac{9}{16} \times \dfrac{4}{15}$

24 $\dfrac{5}{6} \times \dfrac{3}{7} \times \dfrac{1}{4}$

25 $\dfrac{3}{4} \times \dfrac{2}{5} \times \dfrac{8}{9}$

26 $\dfrac{2}{3} \times \dfrac{1}{4} \times \dfrac{5}{7}$

27 $\dfrac{3}{8} \times \dfrac{2}{5} \times \dfrac{4}{9}$

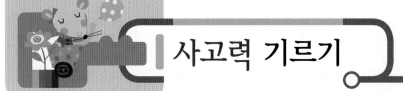

 □ 안에 들어갈 수 있는 자연수를 모두 구하시오. (01~04)

01
$$\frac{1}{5} \times \frac{1}{\square} > \frac{1}{15}$$

(   )

02
$$\frac{1}{\square} \times \frac{1}{6} > \frac{1}{24}$$

(   )

03
$$\frac{1}{35} < \frac{1}{7} \times \frac{1}{\square}$$

(   )

04
$$\frac{1}{36} < \frac{1}{\square} \times \frac{1}{9}$$

(   )

 주어진 곱셈식을 계산하여 기약분수로 나타내면 단위분수가 됩니다. ☆에 공통으로 들어갈 수를 모두 구하시오. (단, ☆은 1보다 큰 한 자리 수입니다.) (05~10)

05
$$\frac{☆}{8} \times \frac{☆}{10}$$

(   )

06
$$\frac{☆}{12} \times \frac{☆}{16}$$

(   )

07
$$\frac{☆}{18} \times \frac{☆}{24}$$

(   )

08
$$\frac{☆}{27} \times \frac{☆}{9}$$

(   )

09
$$\frac{☆}{20} \times \frac{☆}{30}$$

(   )

10
$$\frac{☆}{15} \times \frac{☆}{45}$$

(   )

다음과 같이 분수를 규칙적으로 늘어놓았을 때 처음부터 15번째 분수까지 모두 곱한 값을 구하시오. (11~13)

11

$$\frac{1}{2},\ \frac{2}{3},\ \frac{3}{4},\ \frac{4}{5},\ \frac{5}{6},\ \cdots$$

(   )

12

$$\frac{3}{5},\ \frac{5}{7},\ \frac{7}{9},\ \frac{9}{11},\ \frac{11}{13},\ \cdots$$

(   )

13

$$\frac{4}{7},\ \frac{7}{10},\ \frac{10}{13},\ \frac{13}{16},\ \frac{16}{19},\ \cdots$$

(   )

 보기 와 같은 규칙에 따라 계산하시오. (14~16)

보기

$$\text{㉠} \triangle \text{㉡} = \frac{\text{㉠}-\text{㉡}}{\text{㉡}} \qquad \text{㉠} \bigstar \text{㉡} = \frac{\text{㉡}-\text{㉠}}{\text{㉡}}$$

14 $(5 \triangle 3) \times (4 \bigstar 7) =$

_____

15 $(8 \bigstar 13) \times (10 \triangle 6) =$

_____

16 $(15 \triangle 10) \times (7 \bigstar 10) =$

_____

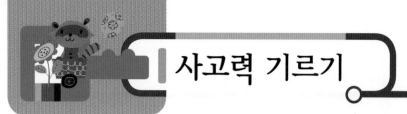

 ☐ 안에 들어갈 수 있는 자연수는 모두 몇 개인지 구하시오. (01~03)

01

$$\frac{1}{49} < \frac{1}{7} \times \frac{1}{\square} < \frac{1}{28}$$

(   )

02

$$\frac{1}{45} < \frac{1}{\square} \times \frac{1}{5} < \frac{1}{25}$$

(   )

03

$$\frac{1}{120} < \frac{1}{12} \times \frac{1}{\square} < \frac{1}{60}$$

(   )

 ▧와 △ 는 한 자리 수입니다. 주어진 식을 성립시키는 여러 가지 식을 만들어 보시오. (04~05)

04

$$\frac{▧}{5} \times \frac{1}{△} = \frac{1}{10}$$

$$\frac{\square}{5} \times \frac{1}{\square} = \frac{1}{10} \qquad\qquad \frac{\square}{5} \times \frac{1}{\square} = \frac{1}{10}$$

$$\frac{\square}{5} \times \frac{1}{\square} = \frac{1}{10} \qquad\qquad \frac{\square}{5} \times \frac{1}{\square} = \frac{1}{10}$$

05

$$\frac{▧}{10} \times \frac{2}{△} = \frac{3}{5}$$

$$\frac{\square}{10} \times \frac{2}{\square} = \frac{3}{5} \qquad \frac{\square}{10} \times \frac{2}{\square} = \frac{3}{5} \qquad \frac{\square}{10} \times \frac{2}{\square} = \frac{3}{5}$$

보기 의 계산 방법을 이용하여 다음을 계산하시오. (06~08)

보기

$$\frac{1}{2} \times \frac{1}{3} \times \frac{1}{4} = \left(\frac{1}{2 \times 3} - \frac{1}{3 \times 4} \right) \times \frac{1}{2}$$

06

$$\frac{1}{3} \times \frac{1}{4} \times \frac{1}{5} + \frac{1}{4} \times \frac{1}{5} \times \frac{1}{6}$$

07

$$\frac{1}{4} \times \frac{1}{5} \times \frac{1}{6} + \frac{1}{5} \times \frac{1}{6} \times \frac{1}{7} + \frac{1}{6} \times \frac{1}{7} \times \frac{1}{8}$$

08

$$\frac{1}{2} \times \frac{1}{3} \times \frac{1}{4} + \frac{1}{3} \times \frac{1}{4} \times \frac{1}{5} + \frac{1}{4} \times \frac{1}{5} \times \frac{1}{6} + \frac{1}{5} \times \frac{1}{6} \times \frac{1}{7}$$

실력 점검

 ☐ 안에 알맞은 수를 써넣으시오. (01~04)

01 $\dfrac{1}{2} \times \dfrac{1}{5} = \dfrac{1}{\square \times \square} = \dfrac{1}{\square}$

02 $\dfrac{1}{7} \times \dfrac{1}{8} = \dfrac{1}{\square \times \square} = \dfrac{1}{\square}$

03 $\dfrac{4}{9} \times \dfrac{6}{7} = \dfrac{\square}{\underset{\square}{9}} \times \dfrac{\overset{\square}{6}}{\square} = \dfrac{\square}{\square}$

04 $\dfrac{2}{7} \times \dfrac{3}{4} \times \dfrac{3}{5} = \dfrac{\overset{\square}{2 \times 3 \times \square}}{\underset{\square}{\square \times 4 \times \square}} = \dfrac{\square}{\square}$

 계산을 하시오. (05~16)

05 $\dfrac{1}{9} \times \dfrac{1}{11}$

06 $\dfrac{1}{5} \times \dfrac{1}{14}$

07 $\dfrac{7}{8} \times \dfrac{1}{3}$

08 $\dfrac{1}{10} \times \dfrac{8}{9}$

09 $\dfrac{3}{4} \times \dfrac{2}{7}$

10 $\dfrac{3}{10} \times \dfrac{5}{6}$

11 $\dfrac{7}{12} \times \dfrac{3}{14}$

12 $\dfrac{3}{8} \times \dfrac{5}{12}$

13 $\dfrac{1}{3} \times \dfrac{5}{8} \times \dfrac{7}{10}$

14 $\dfrac{5}{6} \times \dfrac{4}{9} \times \dfrac{3}{10}$

15 $\dfrac{5}{6} \times \dfrac{3}{5} \times \dfrac{7}{9}$

16 $\dfrac{3}{4} \times \dfrac{2}{5} \times \dfrac{4}{7}$

 □ 안에 들어갈 수 있는 자연수를 모두 구하시오. (17~18)

17

$$\frac{1}{□} \times \frac{1}{8} > \frac{1}{25}$$

(   )

18

$$\frac{1}{24} < \frac{1}{4} \times \frac{1}{□}$$

(   )

 다음과 같이 분수를 규칙적으로 늘어놓았을 때 처음부터 20번째 분수까지 모두 곱한 값을 구하시오. (19~20)

19

$$\frac{3}{8}, \ \frac{8}{13}, \ \frac{13}{18}, \ \frac{18}{23}, \ \frac{23}{28}, \ \frac{28}{33}, \ \cdots$$

(   )

20

$$\frac{9}{11}, \ \frac{11}{13}, \ \frac{13}{15}, \ \frac{15}{17}, \ \frac{17}{19}, \ \frac{19}{21}, \ \cdots$$

(   )

21 ■와 ▲는 한 자리 수입니다. 주어진 식을 성립시키는 여러 가지 식을 만들어 보시오.

$$\frac{■}{14} \times \frac{1}{▲} = \frac{1}{28}$$

$$\frac{□}{14} \times \frac{1}{□} = \frac{1}{28} \qquad\qquad \frac{□}{14} \times \frac{1}{□} = \frac{1}{28}$$

$$\frac{□}{14} \times \frac{1}{□} = \frac{1}{28} \qquad\qquad \frac{□}{14} \times \frac{1}{□} = \frac{1}{28}$$

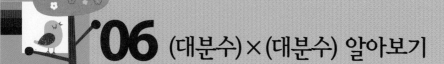
개념

(대분수)×(대분수)

대분수를 가분수로 고친 후 분모는 분모끼리, 분자는 분자끼리 곱합니다.

이때 계산 과정에서 약분이 되면 약분하여 계산합니다.

① 가분수로 고쳐서 계산한 후 약분하기

$$2\frac{1}{4} \times 1\frac{2}{3} = \frac{9}{4} \times \frac{5}{3} = \frac{\overset{15}{\cancel{45}}}{\underset{4}{\cancel{12}}} = \frac{15}{4} = 3\frac{3}{4}$$

② 가분수로 고쳐서 약분한 후 계산하기

$$2\frac{1}{4} \times 1\frac{2}{3} = \frac{\overset{3}{\cancel{9}}}{4} \times \frac{5}{\underset{1}{\cancel{3}}} = \frac{15}{4} = 3\frac{3}{4}$$

 ☐ 안에 알맞은 수를 써넣으시오. (01~04)

01 $2\dfrac{1}{7} \times 1\dfrac{4}{5} = \dfrac{\boxed{}}{7} \times \dfrac{\boxed{}}{5} = \dfrac{\boxed{} \times \boxed{}}{7 \times 5}$

$= \dfrac{\boxed{}}{35} = \dfrac{\boxed{}}{7} = \boxed{}\dfrac{\boxed{}}{7}$

02 $2\dfrac{1}{2} \times 2\dfrac{3}{5} = \dfrac{\boxed{}}{2} \times \dfrac{\boxed{}}{5} = \dfrac{\boxed{} \times \boxed{}}{2 \times 5}$

$= \dfrac{\boxed{}}{10} = \dfrac{\boxed{}}{2} = \boxed{}\dfrac{\boxed{}}{2}$

03 $1\dfrac{5}{6} \times 5\dfrac{1}{4} = \dfrac{\boxed{}}{\underset{\boxed{}}{\cancel{6}}} \times \dfrac{\overset{\boxed{}}{\cancel{21}}}{\boxed{}} = \dfrac{\boxed{}}{\boxed{}} = \boxed{}\dfrac{\boxed{}}{\boxed{}}$

04 $4\dfrac{1}{5} \times 3\dfrac{5}{7} = \dfrac{\overset{\boxed{}}{\cancel{21}}}{\boxed{}} \times \dfrac{\boxed{}}{\underset{\boxed{}}{\cancel{7}}} = \dfrac{\boxed{}}{\boxed{}} = \boxed{}\dfrac{\boxed{}}{\boxed{}}$

보기

$$2\frac{2}{5} \times 1\frac{3}{7} = \frac{12}{\cancel{5}_{1}} \times \frac{\cancel{10}^{2}}{7} = \frac{24}{7} = 3\frac{3}{7}$$

05 $2\frac{1}{4} \times 2\frac{4}{9} =$ _____

06 $1\frac{3}{4} \times 3\frac{3}{5} =$ _____

07 $2\frac{5}{8} \times 3\frac{4}{9} =$ _____

 계산을 하시오. (08~15)

08 $2\frac{3}{5} \times 1\frac{1}{6}$

09 $5\frac{1}{4} \times 1\frac{3}{7}$

10 $4\frac{2}{7} \times 1\frac{5}{9}$

11 $3\frac{3}{5} \times 5\frac{5}{6}$

12 $2\frac{2}{9} \times 2\frac{5}{8}$

13 $4\frac{2}{5} \times 2\frac{1}{2}$

14 $3\frac{3}{8} \times 3\frac{1}{5}$

15 $8\frac{3}{4} \times 5\frac{7}{10}$

 □ 안에 알맞은 수를 써넣으시오. (01~08)

01 $2\dfrac{1}{3} \times 1\dfrac{\square}{4} = 2\dfrac{11}{12}$

02 $1\dfrac{\square}{6} \times 2\dfrac{1}{5} = 4\dfrac{1}{30}$

03 $1\dfrac{3}{8} \times 1\dfrac{\square}{3} = 2\dfrac{7}{24}$

04 $2\dfrac{\square}{10} \times 1\dfrac{3}{4} = 4\dfrac{29}{40}$

05 $1\dfrac{3}{4} \times 1\dfrac{\square}{5} = 2\dfrac{4}{5}$

06 $1\dfrac{\square}{3} \times 2\dfrac{1}{4} = 3\dfrac{3}{4}$

07 $2\dfrac{2}{3} \times 1\dfrac{\square}{8} = 4\dfrac{1}{3}$

08 $3\dfrac{\square}{5} \times 1\dfrac{2}{9} = 4\dfrac{2}{5}$

 5장의 숫자 카드 중 3장을 뽑아 대분수를 만들려고 합니다. 만들 수 있는 가장 큰 대분수와 가장 작은 대분수를 찾아 그 곱을 구하시오. (09~10)

09

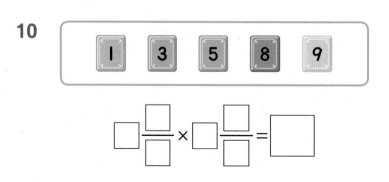

10

가☆나＝가×(가＋나)로 약속할 때, 다음을 계산하시오. (11~12)

11
$$1\frac{1}{5} \, ☆ \, \frac{2}{3}$$

12
$$1\frac{3}{4} \, ☆ \, 1\frac{2}{7}$$

 규칙을 찾아 계산을 하시오. (13~15)

13
$$1\frac{1}{2} \times 1\frac{1}{3} \times 1\frac{1}{4} \times \cdots\cdots \times 1\frac{1}{20}$$

(   )

14
$$1\frac{2}{5} \times 1\frac{2}{7} \times 1\frac{2}{9} \times \cdots\cdots \times 1\frac{2}{25}$$

(   )

15
$$1\frac{4}{9} \times 1\frac{4}{13} \times 1\frac{4}{17} \times \cdots\cdots \times 1\frac{4}{85}$$

(   )

사고력 기르기

, ▲, ●는 서로 다른 자연수입니다. 조건을 만족하는 식을 모두 만들어 보시오.

$\left(\text{단, } \dfrac{▲}{■} \text{는 기약분수입니다.}\right)$ (01~03)

01

$$2\dfrac{4}{5} \times 1\dfrac{▲}{■} = ●$$

$2\dfrac{4}{5} \times 1\dfrac{\Box}{\Box} = \Box$ $2\dfrac{4}{5} \times 1\dfrac{\Box}{\Box} = \Box$ $2\dfrac{4}{5} \times 1\dfrac{\Box}{\Box} = \Box$

02

$$3\dfrac{3}{8} \times 1\dfrac{▲}{■} = ●$$

$3\dfrac{3}{8} \times 1\dfrac{\Box}{\Box} = \Box$ $3\dfrac{3}{8} \times 1\dfrac{\Box}{\Box} = \Box$ $3\dfrac{3}{8} \times 1\dfrac{\Box}{\Box} = \Box$

03

$$6\dfrac{2}{3} \times 1\dfrac{▲}{■} = ●$$

$6\dfrac{2}{3} \times 1\dfrac{\Box}{\Box} = \Box$ $6\dfrac{2}{3} \times 1\dfrac{\Box}{\Box} = \Box$ $6\dfrac{2}{3} \times 1\dfrac{\Box}{\Box} = \Box$

$6\dfrac{2}{3} \times 1\dfrac{\Box}{\Box} = \Box$ $6\dfrac{2}{3} \times 1\dfrac{\Box}{\Box} = \Box$ $6\dfrac{2}{3} \times 1\dfrac{\Box}{\Box} = \Box$

$6\dfrac{2}{3} \times 1\dfrac{\Box}{\Box} = \Box$

주어진 6장의 숫자 카드를 모두 사용하여 (대분수)×(대분수)를 만들려고 합니다. 계산 결과가 가장 큰 식과 가장 작은 식을 각각 만들어 계산해 보시오. (04~06)

04

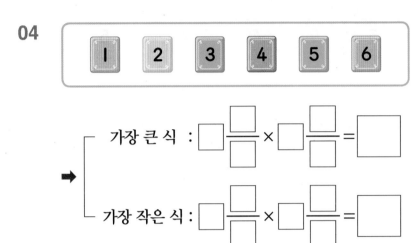

05

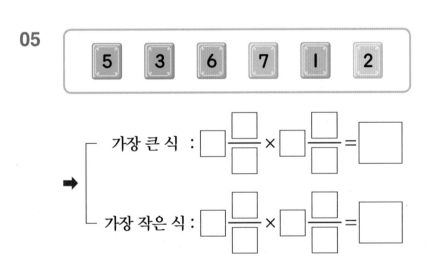

06

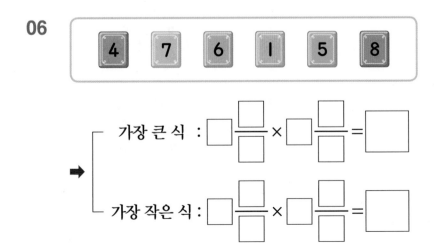

실력 점검

 ☐ 안에 알맞은 수를 써넣으시오. (01~04)

01 $\quad 3\dfrac{3}{5} \times 1\dfrac{2}{9} = \dfrac{\boxed{}}{5} \times \dfrac{\boxed{}}{9} = \dfrac{\boxed{}}{45} = \dfrac{\boxed{}}{5} = \boxed{}\dfrac{\boxed{}}{5}$

02 $\quad 2\dfrac{2}{3} \times 1\dfrac{1}{4} = \dfrac{\boxed{}}{3} \times \dfrac{\boxed{}}{4} = \dfrac{\boxed{}}{12} = \dfrac{\boxed{}}{3} = \boxed{}\dfrac{\boxed{}}{3}$

03 $\quad 2\dfrac{1}{3} \times 1\dfrac{4}{5} = \dfrac{\boxed{}}{\cancel{3}_{\boxed{}}} \times \dfrac{\cancel{9}^{\boxed{}}}{\boxed{}} = \dfrac{\boxed{}}{\boxed{}} = \boxed{}\dfrac{\boxed{}}{\boxed{}}$

04 $\quad 2\dfrac{3}{5} \times 1\dfrac{1}{4} = \dfrac{\boxed{}}{\cancel{5}_{\boxed{}}} \times \dfrac{\cancel{5}^{\boxed{}}}{\boxed{}} = \dfrac{\boxed{}}{\boxed{}} = \boxed{}\dfrac{\boxed{}}{\boxed{}}$

 계산을 하시오. (05~12)

05 $\quad 3\dfrac{2}{5} \times 2\dfrac{6}{7}$

06 $\quad 1\dfrac{7}{9} \times 2\dfrac{3}{8}$

07 $\quad 3\dfrac{1}{5} \times 2\dfrac{3}{4}$

08 $\quad 1\dfrac{3}{4} \times 1\dfrac{5}{9}$

09 $\quad 5\dfrac{1}{10} \times 1\dfrac{2}{3}$

10 $\quad 2\dfrac{2}{9} \times 1\dfrac{4}{5}$

11 $\quad 2\dfrac{1}{5} \times 2\dfrac{8}{11}$

12 $\quad 9\dfrac{3}{7} \times 3\dfrac{7}{9}$

☐ 안에 알맞은 수를 써넣으시오. (13~16)

13 $2\dfrac{1}{2} \times 1\dfrac{\square}{6} = 4\dfrac{7}{12}$

14 $1\dfrac{\square}{6} \times 3\dfrac{2}{3} = 4\dfrac{5}{18}$

15 $2\dfrac{1}{4} \times 3\dfrac{\square}{5} = 8\dfrac{1}{10}$

16 $2\dfrac{\square}{8} \times 2\dfrac{2}{5} = 5\dfrac{7}{10}$

규칙을 찾아 계산을 하시오. (17~18)

17
$$1\dfrac{1}{8} \times 1\dfrac{1}{9} \times 1\dfrac{1}{10} \times \cdots\cdots \times 1\dfrac{1}{20}$$

(   )

18
$$1\dfrac{4}{5} \times 1\dfrac{4}{9} \times 1\dfrac{4}{13} \times \cdots\cdots \times 1\dfrac{4}{65}$$

(   )

19 ▨, ▲, ◯는 서로 다른 자연수입니다. 조건을 만족하는 식을 모두 만들어 보시오.

$\left(\text{단, } \dfrac{▲}{▨} \text{는 기약분수입니다.}\right)$

$$3\dfrac{3}{5} \times 1\dfrac{▲}{▨} = ◯$$

$3\dfrac{3}{5} \times 1\dfrac{\square}{\square} = \square$ $3\dfrac{3}{5} \times 1\dfrac{\square}{\square} = \square$

$3\dfrac{3}{5} \times 1\dfrac{\square}{\square} = \square$ $3\dfrac{3}{5} \times 1\dfrac{\square}{\square} = \square$

개념

1. 0.5×3의 계산

① 분수의 곱셈으로 고쳐서 계산하기

$$0.5 \times 3 = \frac{5}{10} \times 3 = \frac{5 \times 3}{10} = \frac{15}{10} = 1.5$$

② 0.1의 개수로 계산하기

0.5는 0.1이 5개이고, 0.5×3은 0.1이 5×3=15(개)이므로
0.5×3=1.5입니다.

2. 2×0.7의 계산

① 분수의 곱셈으로 고쳐서 계산하기

$$2 \times 0.7 = 2 \times \frac{7}{10} = \frac{2 \times 7}{10} = \frac{14}{10} = 1.4$$

② 자연수의 곱셈을 이용하여 계산하기

$$\frac{1}{10}\text{배}$$

$$2 \times 7 = 14 \Rightarrow 2 \times 0.7 = 1.4$$

$$\frac{1}{10}\text{배}$$

□ 안에 알맞은 수를 써넣으시오. (01~04)

01 0.8은 0.1이 ☐개이고, 0.8×4는 0.1이 ☐×4=☐(개)
이므로 0.8×4=☐입니다.

02 0.7은 0.1이 ☐개이고, 0.7×6은 0.1이 ☐×6=☐(개)
이므로 0.7×6=☐입니다.

03 6× 8 = ☐

$\frac{1}{10}$배 ↓   ↓$\frac{1}{10}$배

6×0.8=☐

04 3× 9 = ☐

$\frac{1}{10}$배 ↓   ↓$\frac{1}{10}$배

3×0.9=☐

□ 안에 알맞은 수를 써넣으시오. (05~08)

05 $0.7 \times 9 = \dfrac{\boxed{}}{10} \times 9 = \dfrac{\boxed{}}{10} = \boxed{}$

06 $0.12 \times 4 = \dfrac{\boxed{}}{100} \times 4 = \dfrac{\boxed{}}{100} = \boxed{}$

07 $8 \times 0.2 = 8 \times \dfrac{\boxed{}}{10} = \dfrac{\boxed{}}{10} = \boxed{}$

08 $12 \times 0.32 = 12 \times \dfrac{\boxed{}}{100} = \dfrac{\boxed{}}{100} = \boxed{}$

 계산을 하시오. (09~20)

09 0.5×5 | **10** 4×0.3

11 0.7×8 | **12** 8×0.8

13 0.9×4 | **14** 11×0.5

15 0.32×7 | **16** 6×0.18

17 0.94×3 | **18** 9×0.37

19 0.65×17 | **20** 12×0.86

사고력 기르기

🌸 계산이 바르게 되도록 주어진 숫자 카드의 숫자를 ☐ 안에 알맞게 써넣으시오. (01~02)

01

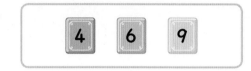

```
   0 . ☐ ☐
 ×     2 ☐
─────────────
 1 6 . 5 6
```

02

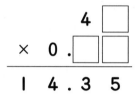

```
       4 ☐
 ×   0 . ☐ ☐
─────────────
 1 4 . 3 5
```

🌸 수성과 금성에서 각각 몸무게를 재면 다음과 같습니다. 물음에 답하시오. (03~05)

- 수성에서의 몸무게는 지구에서 잰 몸무게의 약 **0.38**배입니다.
- 금성에서의 몸무게는 지구에서 잰 몸무게의 약 **0.91**배입니다.

03 몸무게가 **40 kg**인 사람이 수성에서 몸무게를 재면 약 몇 **kg**입니까?

(   )

04 몸무게가 **45 kg**인 사람이 금성에서 몸무게를 재면 약 몇 **kg**입니까?

(   )

05 몸무게가 **50 kg**인 사람이 수성과 금성에서 몸무게를 재었을 때 두 행성에서 잰 몸무게의 차는 약 몇 **kg**입니까?

(   )

■와 ▲는 서로 다른 자연수입니다. 조건을 만족하는 곱셈식을 모두 만들어 보시오.

(단, ■ < ▲입니다.) (06~08)

06

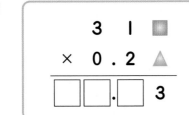

```
    3  1  ■
 ×  0. 2  ▲
 ───────────
  □ □ . □  3
```

```
    3  1  □
 ×  0. 2  □
 ───────────
  □ □ . □  3
```

```
    3  1  □
 ×  0. 2  □
 ───────────
  □ □ . □  3
```

07

```
    0. 2  ■
 ×  2  3  ▲
 ───────────
  □ □ . □  7
```

```
    0. 2  □
 ×  2  3  □
 ───────────
  □ □ . □  7
```

```
    0. 2  □
 ×  2  3  □
 ───────────
  □ □ . □  7
```

08

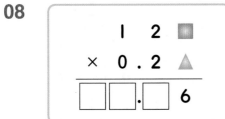

```
    1  2  ■
 ×  0. 2  ▲
 ───────────
  □ □ . □  6
```

```
    1  2  □
 ×  0. 2  □
 ───────────
  □ □ . □  6
```

```
    1  2  □
 ×  0. 2  □
 ───────────
  □ □ . □  6
```

```
    1  2  □
 ×  0. 2  □
 ───────────
  □ □ . □  6
```

```
    1  2  □
 ×  0. 2  □
 ───────────
  □ □ . □  6
```

```
    1  2  □
 ×  0. 2  □
 ───────────
  □ □ . □  6
```

사고력 기르기

Step 2

 □ 안에 알맞은 숫자를 써넣으시오. (01~06)

01

```
      0. □ 3
  ×     □ □
  ─────────
      1 □ 5
    □ 9
  ─────────
    □ . 0 □
```

02

```
        □ 6
  × 0. □ □
  ─────────
      □ 2
    □ 8
  ─────────
    □ . 3 □
```

03

```
      0. □ 4
  ×     □ □
  ─────────
      1 □ 2
    1 □ 8
  ─────────
    1 □ . 4 □
```

04

```
        □ 4
  × 0. □ □
  ─────────
      5 □ 8
    3 □ 6
  ─────────
    3 □ . 4 □
```

05

```
      0. □ 9
  ×     □ □
  ─────────
      □ □
    1 □ 7
  ─────────
    1 □ . 4 □
```

06

```
        6 □
  × 0. □ □
  ─────────
      4 □ 9
    2 □ 1
  ─────────
    2 □ . □ □
```

□ 안에 1부터 9까지의 자연수를 모두 써넣어 곱셈식을 완성하고, 곱을 구하시오. (07~09)

07

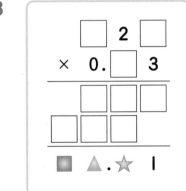

곱 ➡ (   )

08

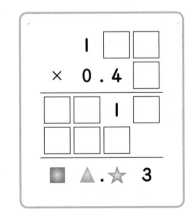

곱 ➡ (   )

09

곱 ➡ (   )

실력 점검

 ☐ 안에 알맞은 수를 써넣으시오. (01~05)

01 0.7은 0.1이 ☐ 개이고, 0.7×5는 0.1이 ☐ ×5= ☐ (개)

이므로 0.7×5= ☐ 입니다.

02 $8 \times 4 = \boxed{}$

$\frac{1}{10}$배 ↓   ↓ $\frac{1}{10}$배

$8 \times 0.4 = \boxed{}$

03 $4 \times 13 = \boxed{}$

$\frac{1}{100}$배 ↓   ↓ $\frac{1}{100}$배

$4 \times 0.13 = \boxed{}$

04 $0.47 \times 3 = \dfrac{\boxed{}}{100} \times 3 = \dfrac{\boxed{}}{100} = \boxed{}$

05 $6 \times 0.28 = 6 \times \dfrac{\boxed{}}{100} = \dfrac{\boxed{}}{100} = \boxed{}$

 계산을 하시오. (06~15)

06 0.2×9

07 6×0.3

08 0.9×9

09 5×0.9

10 0.15×7

11 4×0.27

12 0.82×6

13 8×0.84

14 0.54×12

15 15×0.43

16 계산이 바르게 되도록 주어진 숫자 카드의 숫자를 □ 안에 알맞게 써넣으시오.

```
    0.□□
  ×   1 □
  ─────────
    3. 6 4
```

17 ■와 ▲는 서로 다른 자연수입니다. 조건을 만족하는 곱셈식을 모두 만들어 보시오.
(단, ■ < ▲입니다.)

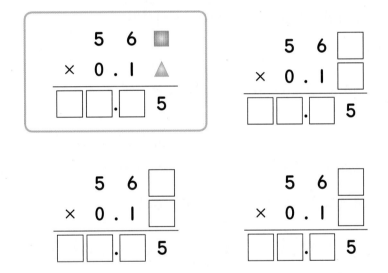

□ 안에 알맞은 숫자를 써넣으시오. (18~19)

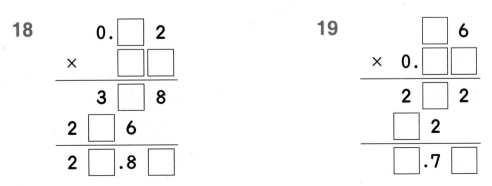

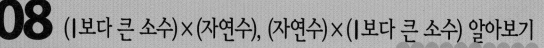

08 (1보다 큰 소수)×(자연수), (자연수)×(1보다 큰 소수) 알아보기

개념

1. 1.5×3의 계산

① 분수의 곱셈으로 고쳐서 계산하기

$$1.5 \times 3 = \frac{15}{10} \times 3 = \frac{15 \times 3}{10} = \frac{45}{10} = 4.5$$

② 0.1의 개수로 계산하기

1.5는 0.1이 15개이고, 1.5×3은 0.1이 15×3=45(개)이므로
1.5×3=4.5입니다.

2. 4×1.2의 계산

① 분수의 곱셈으로 고쳐서 계산하기

$$4 \times 1.2 = 4 \times \frac{12}{10} = \frac{4 \times 12}{10} = \frac{48}{10} = 4.8$$

② 자연수의 곱셈을 이용하여 계산하기

$$4 \times 12 = 48 \implies 4 \times 1.2 = 4.8$$

$\frac{1}{10}$배

$\frac{1}{10}$배

 □ 안에 알맞은 수를 써넣으시오. (01~04)

01 1.4는 0.1이 □ 개이고, 1.4×3은 0.1이 □ ×3=□ (개)
이므로 1.4×3=□ 입니다.

02 2.57은 0.01이 □ 개이고, 2.57×4는 0.01이 □ ×4=□ (개)
이므로 2.57×4=□ 입니다.

03 5×35 = □

$\frac{1}{10}$배 ↓   ↓ $\frac{1}{10}$배

5×3.5 = □

04 6×123 = □

$\frac{1}{100}$배 ↓   ↓ $\frac{1}{100}$배

6×1.23 = □

□ 안에 알맞은 수를 써넣으시오. (05~08)

05 $2.7 \times 3 = \dfrac{\boxed{}}{10} \times 3 = \dfrac{\boxed{}}{10} = \boxed{}$

06 $3.62 \times 4 = \dfrac{\boxed{}}{100} \times 4 = \dfrac{\boxed{}}{100} = \boxed{}$

07 $5 \times 4.3 = 5 \times \dfrac{\boxed{}}{10} = \dfrac{\boxed{}}{10} = \boxed{}$

08 $9 \times 1.25 = 9 \times \dfrac{\boxed{}}{100} = \dfrac{\boxed{}}{100} = \boxed{}$

 계산을 하시오. (09~20)

09 1.5×9 **10** 8×2.1

11 4.2×8 **12** 7×3.6

13 3.7×16 **14** 11×2.7

15 2.58×3 **16** 4×1.58

17 6.84×7 **18** 6×3.79

19 7.61×15 **20** 12×2.94

사고력 기르기

Step 1

 계산이 바르게 되도록 주어진 숫자 카드의 숫자를 ☐ 안에 알맞게 써넣으시오. (01~02)

01

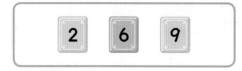

```
      1 . 3 ☐
  ×       ☐ ☐
  3 6 . 1 4
```

02

 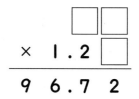

```
        ☐ ☐
  ×   1 . 2 ☐
  9 6 . 7 2
```

 길이가 16.5 cm인 색 테이프가 여러 장 있습니다. 이 색 테이프를 0.4 cm씩 겹치게 한 줄로 길게 이어 붙이려고 합니다. 물음에 답하시오. (03~05)

03 색 테이프 8장을 이어 붙이면 전체의 길이는 몇 cm가 됩니까?

( )

04 색 테이프 12장을 이어 붙이면 전체의 길이는 몇 cm가 됩니까?

( )

05 색 테이프 15장을 이어 붙이면 전체의 길이는 몇 cm가 됩니까?

( )

다음과 같이 규칙적으로 늘어놓은 수에서 25번째 수는 얼마인지 구하시오. (06~08)

06

0.5, 1.7, 2.9, 4.1, 5.3, ……

(   )

07

1.8, 3.3, 4.8, 6.3, 7.8, ……

(   )

08

2.76, 3.99, 5.22, 6.45, 7.68, ……

(   )

 가☆나와 가▲나를 보기 와 같이 약속할 때 다음을 계산하시오. (09~10)

보기

가☆나=(가+나)×가   가▲나=가×(나−가)

09

(2☆3.5)▲12.7

10

3☆(5▲7.3)

사고력 기르기

□ 안에 알맞은 숫자를 써넣으시오. (01~06)

01

```
      2. □ 3
   ×    □ □
   1 9 □ 4
   4 □ □
   □ □ . 0 □
```

02

```
      1 □ □
   ×   □ . 4
     6 □ 2
   □ □   6
   □ □ 1 . □
```

03

```
      1 . □ 7
   ×    □ □
     2 □ 4
   □ □   1
   □ □ . 6 □
```

04

```
      2 □ 5
   ×  □ . □
     □ □ 5
   8 □ 5
   □ 0 7 . □
```

05

```
      4 . 5 □
   ×     □ □
     2 □ 1 8
   □ □   2
   □ □ □ . □ 8
```

06

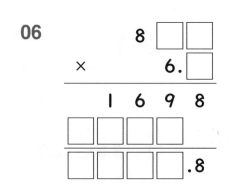

```
      8 □ □
   ×   6 . □
   1 6 9 8
   □ □ □ □
   □ □ □ □ . 8
```

5장의 숫자 카드를 모두 사용하여 다음 곱셈식을 만들려고 합니다. 만들 수 있는 곱셈식 중에서 곱이 가장 큰 경우의 곱을 구하시오. (07~08)

07

| 1 | 2 | 3 | 4 | 5 |

☐.☐☐ × ☐☐ = ☐

08

| 1 | 3 | 5 | 7 | 9 |

☐☐ × ☐.☐☐ = ☐

5장의 숫자 카드를 모두 사용하여 다음 곱셈식을 만들려고 합니다. 만들 수 있는 곱셈식 중에서 곱이 가장 작은 경우의 곱을 구하시오. (09~10)

09

| 2 | 3 | 4 | 7 | 8 |

☐.☐☐ × ☐☐ = ☐

10

| 4 | 5 | 6 | 8 | 9 |

☐☐ × ☐.☐☐ = ☐

실력 점검

 □ 안에 알맞은 수를 써넣으시오. (01~05)

01 3.2는 0.1이 □ 개이고, 3.2×6은 0.1이 □ ×6= □ (개)

이므로 3.2×6= □ 입니다.

02 3× 12 = □

$\frac{1}{10}$배 ↓   ↓ $\frac{1}{10}$배

3×1.2 = □

03 5× 133 = □

$\frac{1}{100}$배 ↓   ↓ $\frac{1}{100}$배

5×1.33 = □

04 $4.8 \times 3 = \dfrac{\boxed{}}{10} \times 3 = \dfrac{\boxed{}}{10} = \boxed{}$

05 $7 \times 2.9 = 7 \times \dfrac{\boxed{}}{10} = \dfrac{\boxed{}}{10} = \boxed{}$

 계산을 하시오. (06~15)

06 4.6×7

07 5×3.9

08 5.8×8

09 7×2.4

10 12.4×3

11 13×5.2

12 3.69×7

13 8×4.76

14 5.84×11

15 13×2.52

16 계산이 바르게 되도록 주어진 숫자 카드의 숫자를 □ 안에 알맞게 써넣으시오.

```
        2 . 4 □
    ×       □ □
  1 4 1 . 3 6
```

 다음과 같이 규칙적으로 늘어놓은 수에서 30번째 수는 얼마인지 구하시오. (17~18)

17

7.5, 9.2, 10.9, 12.6, 14.3, ……

(   )

18

1.52, 2.75, 3.98, 5.21, 6.44, ……

(   )

□ 안에 알맞은 숫자를 써넣으시오. (19~20)

19
```
      3 . □ 4
    ×     □ □
    2 □ 4 □
  □ 2 □
  9 □ . □ 8
```

20
```
      2 □ 7
    ×   □ . □
    2 □ 7 □
  □ 9 □
1 1 □ □ . 6
```

• 분수의 곱셈으로 고쳐서 계산하기

$$0.6 \times 0.4 = \frac{6}{10} \times \frac{4}{10} = \frac{24}{100} = 0.24$$

$$0.08 \times 0.7 = \frac{8}{100} \times \frac{7}{10} = \frac{56}{1000} = 0.056$$

• 자연수의 곱셈을 이용하여 계산하기

$$6 \times 4 = 24$$

$\frac{1}{10}$배 $\frac{1}{10}$배 $\frac{1}{100}$배

$$0.6 \times 0.4 = 0.24$$

$$8 \times 7 = 56$$

$\frac{1}{100}$배 $\frac{1}{10}$배 $\frac{1}{1000}$배

$$0.08 \times 0.7 = 0.056$$

□ 안에 알맞은 수를 써넣으시오. (01~05)

01 $0.3 \times 0.7 = \dfrac{\boxed{}}{10} \times \dfrac{\boxed{}}{10} = \dfrac{\boxed{}}{100} = \boxed{}$

02 $0.15 \times 0.9 = \dfrac{\boxed{}}{100} \times \dfrac{\boxed{}}{10} = \dfrac{\boxed{}}{1000} = \boxed{}$

03 $0.47 \times 0.82 = \dfrac{\boxed{}}{100} \times \dfrac{\boxed{}}{100} = \dfrac{\boxed{}}{10000} = \boxed{}$

04 $6 \times 9 = \boxed{}$

$\frac{1}{10}$배 $\frac{1}{10}$배 $\frac{1}{100}$배

$$0.6 \times 0.9 = \boxed{}$$

05 $8 \times 16 = \boxed{}$

$\frac{1}{10}$배 $\frac{1}{100}$배 $\frac{1}{1000}$배

$$0.8 \times 0.16 = \boxed{}$$

분수의 곱셈으로 고쳐서 계산하시오. (06~09)

06 0.7×0.5＝

07 0.12×0.8＝

08 0.9×0.43＝

09 0.64×0.56＝

 계산을 하시오. (10~21)

10 0.9×0.8

11 0.2×0.7

12 0.25×0.9

13 0.5×0.49

14 0.62×0.4

15 0.4×0.78

16 0.88×0.6

17 0.3×0.96

18 0.72×0.51

19 0.69×0.15

20 0.26×0.17

21 0.98×0.88

 ■와 ▲에 알맞은 숫자를 각각 구하시오. (01~02)

01

$$
\begin{array}{r}
0.\,■\,▲ \\
\times \quad 0.\,■ \\
\hline
0.2\ 8\ 5
\end{array}
$$

■ (   )

▲ (   )

02

$$
\begin{array}{r}
0.\,■\,▲ \\
\times \quad 0.\,■ \\
\hline
0.3\ 8\ 4
\end{array}
$$

■ (   )

▲ (   )

 ▲, ★에 알맞은 숫자를 각각 구하시오. (03~04)

03

$$
\begin{array}{r}
0.1\,▲\,★ \\
\times \quad 0.1\,▲ \\
\hline
0.0\ 1\ 4\ 8\ 8
\end{array}
$$

▲ (   )

★ (   )

04

$$
\begin{array}{r}
0.8\,▲\,★ \\
\times \quad 0.8\,▲ \\
\hline
0.7\ 9\ 6\ 5\ 5
\end{array}
$$

▲ (   )

★ (   )

05 다음을 보고 **0.3**을 **20**번 곱한 수의 소수점 아래 **20**번째 자리의 숫자를 구하시오.

$$0.3=0.3$$
$$0.3\times0.3=0.09$$
$$0.3\times0.3\times0.3=0.027$$
$$0.3\times0.3\times0.3\times0.3=0.0081$$
$$0.3\times0.3\times0.3\times0.3\times0.3=0.00243$$

(   )

06 다음을 보고 **0.7**을 **30**번 곱한 수의 소수점 아래 **30**번째 자리의 숫자를 구하시오.

$$0.7=0.7$$
$$0.7\times0.7=0.49$$
$$0.7\times0.7\times0.7=0.343$$
$$0.7\times0.7\times0.7\times0.7=0.2401$$
$$0.7\times0.7\times0.7\times0.7\times0.7=0.16807$$

(   )

07 다음을 보고 **0.8**을 **50**번 곱한 수의 소수점 아래 **50**번째 자리의 숫자를 구하시오.

$$0.8=0.8$$
$$0.8\times0.8=0.64$$
$$0.8\times0.8\times0.8=0.512$$
$$0.8\times0.8\times0.8\times0.8=0.4096$$
$$0.8\times0.8\times0.8\times0.8\times0.8=0.32768$$

(   )

사고력 기르기

Step 2

 4장의 숫자 카드를 모두 사용하여 다음 곱셈식을 완성하시오. (01~02)

01

```
      0. □ □
  ×   0. □ □
  ─────────────
  0. 0 7 4 1
```

02

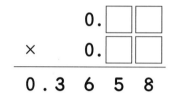

```
      0. □ □
  ×   0. □ □
  ─────────────
  0. 3 6 5 8
```

 4장의 숫자 카드를 모두 사용하여 다음 곱셈식을 만들려고 합니다. 만들 수 있는 곱셈식 중에서 곱이 가장 큰 경우의 곱을 구하시오. (03~05)

03

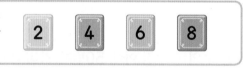

0.□□ × 0.□□ = □□□

04

0.□□ × 0.□□ = □□□

05

0.□□ × 0.□□ = □□□

4장의 숫자 카드를 모두 사용하여 다음 곱셈식을 만들려고 합니다. 만들 수 있는 곱셈식 중에서 곱이 가장 작은 경우의 곱을 구하시오. (06~08)

06

| 1 | 4 | 5 | 7 |

$0.\boxed{}\boxed{} \times 0.\boxed{}\boxed{} = \boxed{}$

07

| 3 | 4 | 8 | 9 |

$0.\boxed{}\boxed{} \times 0.\boxed{}\boxed{} = \boxed{}$

08

| 2 | 6 | 7 | 8 |

$0.\boxed{}\boxed{} \times 0.\boxed{}\boxed{} = \boxed{}$

09 ■<▲<☆이고 ▲－■＝☆－▲입니다. 조건을 만족하는 식을 모두 만들어 보시오.

$$0.17 < 0.■▲ \times 0.☆ < 0.36$$

$0.17 < 0.\boxed{}\boxed{} \times 0.\boxed{} < 0.36$

$0.17 < 0.\boxed{}\boxed{} \times 0.\boxed{} < 0.36$

$0.17 < 0.\boxed{}\boxed{} \times 0.\boxed{} < 0.36$

$0.17 < 0.\boxed{}\boxed{} \times 0.\boxed{} < 0.36$

 □ 안에 알맞은 수를 써넣으시오. (01~04)

01 $0.6 \times 0.9 = \dfrac{\boxed{}}{10} \times \dfrac{\boxed{}}{10} = \dfrac{\boxed{}}{100} = \boxed{}$

02 $0.84 \times 0.3 = \dfrac{\boxed{}}{100} \times \dfrac{\boxed{}}{10} = \dfrac{\boxed{}}{1000} = \boxed{}$

03

$5 \times 9 = \boxed{}$

$\dfrac{1}{10}$배↓ ↓$\dfrac{1}{10}$배 ↓$\dfrac{1}{100}$배

$0.5 \times 0.9 = \boxed{}$

04

$12 \times 8 = \boxed{}$

$\dfrac{1}{100}$배↓ ↓$\dfrac{1}{10}$배 ↓$\dfrac{1}{1000}$배

$0.12 \times 0.8 = \boxed{}$

 계산을 하시오. (05~16)

05 0.2×0.6

06 0.7×0.7

07 0.62×0.8

08 0.8×0.89

09 0.42×0.2

10 0.3×0.68

11 0.35×0.5

12 0.6×0.91

13 0.24×0.62

14 0.81×0.25

15 0.64×0.25

16 0.18×0.95

 ▲와 ☆에 알맞은 숫자를 각각 구하시오. (17~18)

17

```
      0 . ▲ ☆
    ×   0 . ▲
    ─────────
    0 . 4  1  4
```

▲ (   )

☆ (   )

18

```
      0 . ▲ ☆
    ×   0 . ▲
    ─────────
    0 . 5  2  5
```

▲ (   )

☆ (   )

19 4장의 숫자 카드를 모두 사용하여 다음 곱셈식을 완성하시오.

```
      0 . □ □
    ×   0 . □ □
    ───────────
    0 . 2  0  6  4
```

20 4장의 숫자 카드를 모두 사용하여 다음 곱셈식을 만들려고 합니다. 만들 수 있는 곱셈식 중에서 곱이 가장 큰 경우와 가장 작은 경우의 곱을 각각 구하시오.

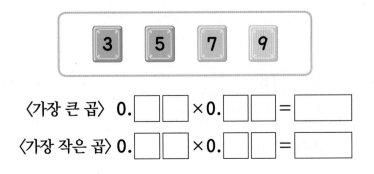

〈가장 큰 곱〉 0.□□ × 0.□□ = □□□□

〈가장 작은 곱〉 0.□□ × 0.□□ = □□□□

개념

- 분수의 곱셈으로 고쳐서 계산하기

$$1.6 \times 2.3 = \frac{16}{10} \times \frac{23}{10} = \frac{368}{100} = 3.68$$

$$1.85 \times 1.3 = \frac{185}{100} \times \frac{13}{10} = \frac{2405}{1000} = 2.405$$

- 자연수의 곱셈을 이용하여 계산하기

$$16 \times 23 = 368 \qquad\qquad 185 \times 13 = 2405$$

$\frac{1}{10}$배 ↓ $\frac{1}{10}$배 ↓ ↓$\frac{1}{100}$배 　 $\frac{1}{100}$배 ↓ $\frac{1}{10}$배 ↓ ↓$\frac{1}{1000}$배

$$1.6 \times 2.3 = 3.68 \qquad\qquad 1.85 \times 1.3 = 2.405$$

 ☐ 안에 알맞은 수를 써넣으시오. (01~05)

01 $1.5 \times 2.1 = \dfrac{\boxed{}}{10} \times \dfrac{\boxed{}}{10} = \dfrac{\boxed{}}{100} = \boxed{}$

02 $2.67 \times 1.2 = \dfrac{\boxed{}}{100} \times \dfrac{\boxed{}}{10} = \dfrac{\boxed{}}{1000} = \boxed{}$

03 $1.05 \times 2.17 = \dfrac{\boxed{}}{100} \times \dfrac{\boxed{}}{100} = \dfrac{\boxed{}}{10000} = \boxed{}$

04 $34 \times 18 = \boxed{}$

$\frac{1}{10}$배 ↓ 　↓$\frac{1}{10}$배 ↓$\frac{1}{100}$배

$3.4 \times 1.8 = \boxed{}$

05 $118 \times 39 = \boxed{}$

$\frac{1}{100}$배 ↓ 　↓$\frac{1}{10}$배 ↓$\frac{1}{1000}$배

$1.18 \times 3.9 = \boxed{}$

분수의 곱셈으로 고쳐서 계산하시오. (06~09)

06 $1.2 \times 2.4 =$

07 $6.15 \times 1.3 =$

08 $1.6 \times 1.24 =$

09 $2.18 \times 1.02 =$

계산을 하시오. (10~21)

10 1.8×5.2 **11** 4.2×5.4

12 3.6×2.7 **13** 6.5×2.2

14 1.68×4.3 **15** 8.2×2.19

16 2.98×2.4 **17** 4.6×2.54

18 7.21×3.7 **19** 5.2×3.15

20 4.25×1.14 **21** 2.97×1.62

사고력 기르기

 ☐ 안에 들어갈 수 있는 자연수 중에서 가장 큰 수를 구하시오. (01~03)

01

$3.7 \times 4.6 > 1\square.02$

(   )

02

$2.96 \times 3.8 > 11.2\square5$

(   )

03

$6.54 \times 5.12 > 33.4\square5$

(   )

 ☐ 안에 들어갈 수 있는 자연수 중에서 가장 작은 수를 구하시오. (04~06)

04

$5.2 \times 2.4 < 12.\square8$

(   )

05

$1.76 \times 5.8 < 10.\square02$

(   )

06

$56.4 \times 4.25 < 2\square9.7$

(   )

주어진 5장의 카드 중에서 3장을 뽑아 소수 한 자리 수를 만들려고 합니다. 만들 수 있는 수 중에서 가장 큰 수와 가장 작은 수의 곱을 구하시오. (07~08)

07

(   )

08

| 4 | 9 | 6 | 8 | . |

(   )

 □ 안에 알맞은 숫자를 써넣어 곱셈식을 완성하시오. (09~12)

09

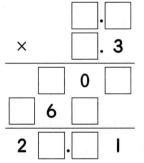

10

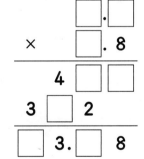

11

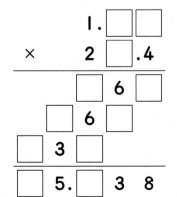

12

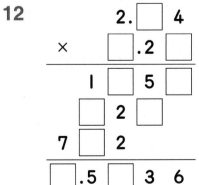

 다음과 같은 규칙으로 식을 세울 때 10번째 식의 계산 결과를 구하시오. (01~03)

01

$$1.2 \times 1.6, \ 1.7 \times 1.8, \ 2.2 \times 2, \ 2.7 \times 2.2, \ \cdots\cdots$$

(   )

02

$$2.5 \times 1.3, \ 2.8 \times 1.7, \ 3.1 \times 2.1, \ 3.4 \times 2.5, \ \cdots\cdots$$

(   )

03

$$4.8 \times 2.1, \ 5.5 \times 2.7, \ 6.2 \times 3.3, \ 6.9 \times 3.9, \ \cdots\cdots$$

(   )

가☆나와 가▲나를 보기 와 같이 약속할 때 다음을 계산하시오. (04~05)

보기

$$가 ☆ 나 = (가 + 나) \times 가 \qquad 가 ▲ 나 = 나 \times (가 - 나)$$

04

$$(2.5 ☆ 1.2) ▲ 3.6$$

05

$$1.8 ☆ (5.6 ▲ 2.9)$$

5장의 숫자 카드를 모두 사용하여 다음 곱셈식을 만들려고 합니다. 만들 수 있는 곱셈식 중에서 곱이 가장 큰 경우와 가장 작은 경우의 곱을 각각 구하시오. (06~09)

06

| 1 | 2 | 3 | 4 | 5 |

〈가장 큰 곱〉 ☐.☐☐ × ☐.☐ = ☐

〈가장 작은 곱〉 ☐.☐☐ × ☐.☐ = ☐

07

| 2 | 3 | 5 | 6 | 8 |

〈가장 큰 곱〉 ☐.☐☐ × ☐.☐ = ☐

〈가장 작은 곱〉 ☐.☐☐ × ☐.☐ = ☐

08

| 1 | 3 | 5 | 7 | 9 |

〈가장 큰 곱〉 ☐☐.☐ × ☐.☐ = ☐

〈가장 작은 곱〉 ☐☐.☐ × ☐.☐ = ☐

09

| 3 | 5 | 6 | 7 | 8 |

〈가장 큰 곱〉 ☐☐.☐ × ☐.☐ = ☐

〈가장 작은 곱〉 ☐☐.☐ × ☐.☐ = ☐

실력 점검

 ☐ 안에 알맞은 수를 써넣으시오. (01~04)

01 $4.8 \times 2.7 = \dfrac{\boxed{}}{10} \times \dfrac{\boxed{}}{10} = \dfrac{\boxed{}}{100} = \boxed{}$

02 $3.62 \times 2.6 = \dfrac{\boxed{}}{100} \times \dfrac{\boxed{}}{10} = \dfrac{\boxed{}}{1000} = \boxed{}$

03 $19 \times 45 = \boxed{}$

$\dfrac{1}{10}$배 ↓   ↓ $\dfrac{1}{10}$배   ↓ $\dfrac{1}{100}$배

$1.9 \times 4.5 = \boxed{}$

04 $314 \times 36 = \boxed{}$

$\dfrac{1}{100}$배 ↓   ↓ $\dfrac{1}{10}$배   ↓ $\dfrac{1}{1000}$배

$3.14 \times 3.6 = \boxed{}$

 계산을 하시오. (05~16)

05 4.9×2.1

06 5.8×1.6

07 6.2×3.7

08 9.2×4.5

09 1.08×6.3

10 2.7×1.58

11 3.94×2.5

12 7.6×2.14

13 6.18×1.5

14 5.2×3.24

15 1.05×3.17

16 3.82×1.25

□ 안에 들어갈 수 있는 자연수 중에서 가장 큰 수를 구하시오. (17~18)

17

$$6.4 \times 7.2 > 4\square.12$$

(   )

18

$$4.98 \times 3.6 > 17.9\square6$$

(   )

 다음과 같은 규칙으로 식을 세울 때 10번째 식의 계산 결과를 구하시오. (19~20)

19

$$1.8 \times 2.6, \ 2.1 \times 3, \ 2.4 \times 3.4, \ 2.7 \times 3.8, \ \cdots\cdots$$

(   )

20

$$3.8 \times 2.7, \ 4.3 \times 3.5, \ 4.8 \times 4.3, \ 5.3 \times 5.1, \ \cdots\cdots$$

(   )

21 5장의 숫자 카드를 모두 사용하여 다음 곱셈식을 만들려고 합니다. 만들 수 있는 곱셈식 중에서 곱이 가장 큰 경우와 가장 작은 경우의 곱을 각각 구하시오.

| 1 | 2 | 4 | 6 | 8 |

〈가장 큰 곱〉 □.□□ × □.□ = □

〈가장 작은 곱〉 □.□□ × □.□ = □

11 곱의 소수점의 위치 알아보기

1. (소수)×10, 100, 1000 알아보기

곱하는 수의 0의 수만큼 곱의 소수점이 오른쪽으로 옮겨집니다.

$1.25 \times 10 = 12.5$ $1.25 \times 100 = 125$ $1.25 \times 1000 = 1250$

2. (자연수)×0.1, 0.01, 0.001 알아보기

곱하는 수의 소수점 아래 자릿수만큼 곱의 소수점이 왼쪽으로 옮겨집니다.

$257 \times 0.1 = 25.7$ $257 \times 0.01 = 2.57$ $257 \times 0.001 = 0.257$

3. 곱의 소수점의 위치 알아보기

곱하는 두 수의 소수점 아래 자리 수를 더한 것과 결과값의 소수점 아래 자리 수가 같습니다.

$4 \times 8 = 32$ ➡ $0.4 \times 0.8 = 0.32$, $0.04 \times 0.8 = 0.032$

□ 안에 알맞은 수를 써넣으시오. (01~06)

01   $8.76 \times 10 = \dfrac{\boxed{}}{100} \times 10 = \dfrac{\boxed{}}{100} = \boxed{}$

02   $8.76 \times 100 = \dfrac{\boxed{}}{100} \times 100 = \dfrac{\boxed{}}{100} = \boxed{}$

03   $8.76 \times 1000 = \dfrac{\boxed{}}{100} \times 1000 = \dfrac{\boxed{}}{100} = \boxed{}$

04   $759 \times 0.1 = 759 \times \dfrac{1}{\boxed{}} = \dfrac{759}{\boxed{}} = \boxed{}$

05   $759 \times 0.01 = 759 \times \dfrac{1}{\boxed{}} = \dfrac{759}{\boxed{}} = \boxed{}$

06   $759 \times 0.001 = 759 \times \dfrac{1}{\boxed{}} = \dfrac{759}{\boxed{}} = \boxed{}$

□ 안에 알맞은 수를 써넣으시오. (07~14)

07 $0.29 \times 10 = \boxed{}$

$0.29 \times 100 = \boxed{}$

$0.29 \times 1000 = \boxed{}$

08 $4.62 \times 10 = \boxed{}$

$4.62 \times 100 = \boxed{}$

$4.62 \times 1000 = \boxed{}$

09 $10 \times 0.138 = \boxed{}$

$100 \times 0.138 = \boxed{}$

$1000 \times 0.138 = \boxed{}$

10 $10 \times 1.257 = \boxed{}$

$100 \times 1.257 = \boxed{}$

$1000 \times 1.257 = \boxed{}$

11 $548 \times 0.1 = \boxed{}$

$548 \times 0.01 = \boxed{}$

$548 \times 0.001 = \boxed{}$

12 $2987 \times 0.1 = \boxed{}$

$2987 \times 0.01 = \boxed{}$

$2987 \times 0.001 = \boxed{}$

13 $0.1 \times 415 = \boxed{}$

$0.01 \times 415 = \boxed{}$

$0.001 \times 415 = \boxed{}$

14 $0.1 \times 84 = \boxed{}$

$0.01 \times 84 = \boxed{}$

$0.001 \times 84 = \boxed{}$

□ 안에 알맞은 수를 써넣으시오. (15~17)

15 $23 \times 32 = \boxed{}$ ➡ $2.3 \times 3.2 = \boxed{}$

16 $19 \times 54 = \boxed{}$ ➡ $0.19 \times 5.4 = \boxed{}$

17 $28 \times 52 = \boxed{}$ ➡ $0.28 \times 0.52 = \boxed{}$

 ☐ 안에 알맞은 수를 써넣으시오. (01~08)

01   0.741 × ☐ = 74.1   02   ☐ × 5.78 = 5780

03   12.72 × ☐ = 127.2   04   ☐ × 14.9 = 1490

05   5.48 × ☐ = 0.548   06   ☐ × 5.8 = 0.058

07   4680 × ☐ = 46.8   08   ☐ × 2457 = 2.457

 ☐ 안에 알맞은 수를 써넣으시오. (09~13)

09   17 × ☐ = 255 ➡ 1.7 × ☐ = 2.55

10   28 × ☐ = 448 ➡ 0.28 × ☐ = 0.448

11   31 × ☐ = 868 ➡ 3.1 × ☐ = 0.868

12   ☐ × 52 = 2132 ➡ ☐ × 0.52 = 0.2132

13   ☐ × 24 = 1560 ➡ ☐ × 2.4 = 1.56

㉠에 알맞은 수는 ㉡에 알맞은 수의 몇 배인지 구하시오. (14~16)

14

$$72.5 \times ㉠ = 725 \qquad 725 \times ㉡ = 7.25$$

(   )

15

$$6.28 \times ㉠ = 628 \qquad 62.8 \times ㉡ = 0.628$$

(   )

16

$$1.148 \times ㉠ = 114.8 \qquad 114.8 \times ㉡ = 11.48$$

(   )

17 지혜는 계산기로 0.95×0.4를 계산하려고 두 수를 눌렀는데 한 수의 소수점 위치를 잘못 눌러서 3.8이 나왔습니다. 지혜가 계산기에 누른 두 수를 써 보시오.

$$\boxed{} \times \boxed{} \quad \text{또는} \quad \boxed{} \times \boxed{}$$

18 영수는 계산기로 16.5×1.8을 계산하려고 두 수를 눌렀는데 한 수의 소수점 위치를 잘못 눌러서 297이 나왔습니다. 영수가 계산기에 누른 두 수를 써 보시오.

$$\boxed{} \times \boxed{} \quad \text{또는} \quad \boxed{} \times \boxed{}$$

사고력 기르기

 ■와 ▲에 알맞은 수를 각각 구하시오. (01~03)

01

$$0.67 \times ■ + 0.67 \times ▲ = 6.767$$

■ = ☐, ▲ = ☐ 또는 ■ = ☐, ▲ = ☐

02

$$3.58 \times ■ + 35.8 \times ▲ = 35.8358$$

■ = ☐, ▲ = ☐ 또는 ■ = ☐, ▲ = ☐

03

$$4.55 \times ■ + 455 \times ▲ = 50.05$$

■ = ☐, ▲ = ☐ 또는 ■ = ☐, ▲ = ☐

 3.8 × 410 × 12 = 18696일 때 ☆에 알맞은 수를 구하시오. (04~05)

04

$$0.38 \times ☆ \times 1.2 = 18696$$

( )

05

$$38 \times ☆ \times 120 = 186.96$$

( )

06 ■, ▲, ●는 자연수이고 2<■.▲<4일 때 조건을 만족하는 식을 모두 찾아 계산하시오.

$2.5 \times$ ☐ . ☐ = ☐ $2.5 \times$ ☐ . ☐ = ☐

$2.5 \times$ ☐ . ☐ = ☐ $2.5 \times$ ☐ . ☐ = ☐

07 ■, ▲, ●는 자연수이고 4<■.▲<8일 때 조건을 만족하는 식을 모두 찾아 계산하시오.

$1.25 \times$ ■.▲ = ●

$1.25 \times$ ☐ . ☐ = ☐ $1.25 \times$ ☐ . ☐ = ☐

$1.25 \times$ ☐ . ☐ = ☐ $1.25 \times$ ☐ . ☐ = ☐

08 ■, ▲, ●는 자연수입니다. 조건을 만족하는 식을 모두 찾아 계산하시오.

$6.25 \times 0.$ ■▲ = ●

$6.25 \times 0.$ ☐☐ = ☐ $6.25 \times 0.$ ☐☐ = ☐

$6.25 \times 0.$ ☐☐ = ☐ $6.25 \times 0.$ ☐☐ = ☐

$6.25 \times 0.$ ☐☐ = ☐

 □ 안에 알맞은 수를 써넣으시오. (01~09)

01 $7.628 \times 100 = \dfrac{\boxed{}}{1000} \times 100 = \dfrac{\boxed{}}{1000} = \boxed{}$

02 $625 \times 0.001 = 625 \times \dfrac{1}{\boxed{}} = \dfrac{625}{\boxed{}} = \boxed{}$

03 $9.8 \times 10 = \boxed{}$
$9.8 \times 100 = \boxed{}$
$9.8 \times 1000 = \boxed{}$

04 $10 \times 1.87 = \boxed{}$
$100 \times 1.87 = \boxed{}$
$1000 \times 1.87 = \boxed{}$

05 $759 \times 0.1 = \boxed{}$
$759 \times 0.01 = \boxed{}$
$759 \times 0.001 = \boxed{}$

06 $1498 \times 0.1 = \boxed{}$
$1498 \times 0.01 = \boxed{}$
$1498 \times 0.001 = \boxed{}$

07 $67 \times 52 = \boxed{}$ ➡ $6.7 \times 0.52 = \boxed{}$

08 $128 \times 14 = \boxed{}$ ➡ $1.28 \times 1.4 = \boxed{}$

09 $564 \times 25 = \boxed{}$ ➡ $56.4 \times 0.25 = \boxed{}$

 ㉠에 알맞은 수는 ㉡에 알맞은 수의 몇 배인지 구하시오. (10~11)

10

6.45×㉠=645   64.5×㉡=6.45

(   )

11

1.475×㉠=14.75   147.5×㉡=1.475

(   )

12 웅이는 계산기로 1.58×2.5를 계산하려고 두 수를 눌렀는데 한 수의 소수점 위치를 잘못 눌러서 39.5가 나왔습니다. 웅이가 계산기에 누른 두 수를 써 보시오.

☐ × ☐ 또는 ☐ × ☐

 45×150×3.2=21600일 때 ☆에 알맞은 수를 구하시오. (13~14)

13

4.5×☆×0.32=21600

(   )

14

☆×1.5×32=21600

(   )

개념

평균 알아보기

각 자료의 값을 모두 더하여 자료의 수로 나눈 값을 그 자료를 대표하는 값으로 정할 수 있습니다. 이 값을 평균이라고 합니다.

$$(평균) = \frac{(자료\ 값의\ 합)}{(자료의\ 수)}$$

5학년 반별 학생 수

반	1	2	3	4	5
학생 수(명)	20	22	19	18	21

$$(평균) = \frac{20+22+19+18+21}{5} = 20(명)$$

평균을 여러 가지 방법으로 구하려고 합니다. ☐ 안에 알맞은 수를 써넣으시오. (01~02)

01

| 28 | 27 | 30 | 33 | 32 |

(1) 기준 수를 30으로 정하고 28과 ☐를 더하여 2로 나누면 30이 되고 ☐과 ☐을 더하여 2로 나누어도 30이 되므로 평균은 ☐입니다.

(2) $\dfrac{\boxed{}+\boxed{}+\boxed{}+\boxed{}+\boxed{}}{5} = \boxed{}$

02

| 88 | 92 | 79 | 105 | 96 |

(1) 기준 수를 92로 정하고 88과 ☐을 더하여 2로 나누면 92가 되고, ☐와 ☐를 더하여 2로 나누어도 92가 되므로 평균은 ☐입니다.

(2) $\dfrac{\boxed{}+\boxed{}+\boxed{}+\boxed{}+\boxed{}}{5} = \boxed{}$

□ 안에 알맞은 수를 써넣으시오. (03~04)

03

경기별 점수

경기(회)	1	2	3	4
점수(점)	86	74	92	76

(평균) = $\dfrac{\boxed{}+\boxed{}+\boxed{}+\boxed{}}{\boxed{}}$ = $\boxed{}$ (점)

04

읽은 책의 수

월	3	4	5	6	7	8
책 수(권)	7	8	9	4	9	5

(평균) = $\dfrac{\boxed{}+\boxed{}+\boxed{}+\boxed{}+\boxed{}+\boxed{}}{\boxed{}}$ = $\boxed{}$ (권)

 주어진 수들의 평균을 구하시오. (05~08)

05

| 90 106 94 92 78 |

(   )

06

| 20 35 42 48 70 55 |

(   )

07

| 143 158 153 149 152 157 |

(   )

08

| 122 119 89 136 98 100 127 |

(   )

 어느 동아리 회원의 나이를 조사하여 나타낸 표입니다. 회원 한 명이 더 들어와서 평균 나이가 한 살 늘어났다면 새로운 회원의 나이는 몇 살인지 구하시오. (01~03)

01

동아리 회원의 나이

이름	민수	석기	영철	지혜
나이(살)	9	11	8	12

(   )

02

동아리 회원의 나이

이름	재석	효진	민철	성미
나이(살)	11	10	13	10

(   )

03

동아리 회원의 나이

이름	영수	유승	효근	가영	동민
나이(살)	12	14	13	11	15

(   )

 남녀 학생들의 평균 몸무게를 조사하여 나타낸 표입니다. 전체 학생들의 평균 몸무게를 구하시오. (04~05)

04

학생들의 평균 몸무게

남학생 8명	여학생 10명
38.8 kg	37 kg

(   )

05

학생들의 평균 몸무게

남학생 12명	여학생 10명
39.5 kg	38.4 kg

(   )

단원평가 점수를 조사하여 나타낸 표입니다. 표로 나타낼 때 사회 점수의 십의 자리 숫자와 일의 자리 숫자가 바뀐 것이라면 원래 단원평가의 평균 점수와 잘못된 점수표의 평균 점수와의 차는 몇 점인지 구하시오. (06~07)

06

단원평가 점수

과목	국어	수학	사회	과학
점수(점)	90	84	89	87

(   )

07

단원평가 점수

과목	국어	수학	사회	과학
점수(점)	66	80	68	74

(   )

세 자연수 $\blacksquare$, $\blacktriangle$, $\bullet$가 있습니다. 주어진 식을 보고 세 자연수 $\blacksquare$, $\blacktriangle$, $\bullet$의 평균을 구하시오. (08~10)

08

$$\blacksquare + \blacktriangle = 120 \qquad \blacktriangle + \bullet = 130 \qquad \bullet + \blacksquare = 134$$

(   )

09

$$\blacksquare + \blacktriangle = 182 \qquad \blacktriangle + \bullet = 178 \qquad \bullet + \blacksquare = 174$$

(   )

10

$$\blacksquare + \blacktriangle = 270 \qquad \blacktriangle + \bullet = 262 \qquad \bullet + \blacksquare = 284$$

(   )

사고력 기르기

Step 2

❀ 다음과 같은 규칙대로 수를 늘어놓았습니다. 65번 째 수까지의 평균은 얼마인지 구하시오.
(01~03)

01

52, 54, 56, 58, 60, 62, ……

( )

02

61, 66, 71, 76, 81, 86, ……

( )

03

123, 130, 137, 144, 151, 158, ……

( )

❀ 다음과 같이 수 카드가 가장 작은 수부터 차례로 5장 놓여 있습니다. 물음에 답하시오.
(단, 카드의 수는 모두 다릅니다.) (04~05)

가 나 다 라 마

04 카드에 적힌 모든 수들의 평균이 **59**, 가, 나, 다에 적힌 수들의 평균이 **55**, 다, 라, 마에 적힌 수들의 평균이 **63**일 때 다에 적힌 수는 얼마입니까?

( )

05 카드에 적힌 모든 수들의 평균이 **106**, 가, 나, 다에 적힌 수들의 평균이 **79**, 다, 라, 마에 적힌 수들의 평균이 **130**일 때 다에 적힌 수는 얼마입니까?

( )

영수네 반 학생 28명의 1차, 2차 쪽지 시험에서의 점수별 학생 수를 조사하여 나타낸 표입니다. 물음에 답하시오. (06~09)

점수별 학생 수 (단위 : 명)

2차＼1차	5점	6점	7점	8점	9점	10점
5점			1			
6점	2			1		
7점	1		1	1		
8점		1	3	2	4	1
9점			1	3	1	2
10점					2	1

06 1차 시험 점수가 10점인 학생들의 2차 시험 점수의 평균은 몇 점입니까?

( )

07 2차 시험 점수가 6점인 학생들의 1차 시험 점수의 평균은 몇 점입니까?

( )

08 1차 시험 점수가 8점 이상인 학생들의 2차 시험 점수의 평균은 몇 점입니까?

( )

09 2차 시험 점수가 9점 이상인 학생들의 1차 시험 점수의 평균은 몇 점입니까?

( )

실력 점검

 □ 안에 알맞은 수를 써넣으시오. (01~02)

01

| 52 | 50 | 54 | 60 | 56 | 48 | 58 |

(1) 기준 수를 **54**로 정하고 (52, ☐), (50, ☐), (60, ☐)을 더하여 **2**로

나누면 **54**가 되므로 평균은 ☐ 입니다.

(2) $\dfrac{☐ + ☐ + ☐ + ☐ + ☐ + ☐ + ☐}{7} = ☐$

02

| 24 cm | 33 cm | 35 cm | 28 cm |

➡ (평균 길이)＝ ☐ cm

주어진 수들의 평균을 구하시오. (03~06)

03

| 46 | 48 | 42 | 40 | 54 |

( )

04

| 35 | 28 | 32 | 28 | 40 | 29 |

( )

05

| 20 | 70 | 42 | 35 | 48 | 55 |

( )

06

| 96 | 88 | 92 | 87 | 94 | 82 | 98 |

( )

07 어느 동아리 회원의 나이를 조사하여 나타낸 표입니다. 회원 한 명이 더 들어와서 평균 나이가 한 살 줄었다면 새로운 회원의 나이는 몇 살인지 구하시오.

동아리 회원의 나이

이름	영희	주호	상민	지수
나이(살)	18	15	16	19

(   )

08 남녀 학생들의 평균 키를 조사하여 나타낸 표입니다. 전체 학생들의 평균 키를 구하시오.

학생들의 평균 키

남학생 14명	여학생 10명
156.5 cm	148.1 cm

(   )

09 세 자연수 ■, ▲, ●가 있습니다. 주어진 식을 보고 세 자연수 ■, ▲, ●의 평균을 구하시오.

$$■ + ▲ = 1070 \qquad ▲ + ● = 1106 \qquad ● + ■ = 1220$$

(   )

10 다음과 같이 수 카드가 가장 작은 수부터 차례로 5장 놓여 있습니다. 카드에 적힌 모든 수들의 평균이 360, 가, 나, 다에 적힌 수들의 평균이 275, 다, 라, 마에 적힌 수들의 평균이 449일 때 다에 적힌 수는 얼마입니까?

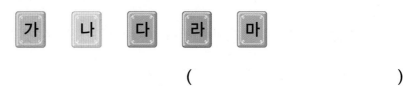

(   )

13 가능성 알아보기

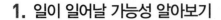

1. 일이 일어날 가능성 알아보기

- 가능성은 어떠한 상황에서 특정한 일이 일어나길 기대할 수 있는 정도를 말합니다.
- 가능성의 정도는 '불가능하다.', '~아닐 것 같다.', '반반이다.', '~일 것 같다.', '확실하다.' 등으로 표현 할 수 있습니다.

2. 일이 일어날 가능성을 수로 나타내기

- 일이 일어날 가능성을 0, $\frac{1}{2}$, 1과 같은 수로 나타낼 수 있습니다.
- 일이 일어날 가능성이 '불가능하다.'인 경우는 0, '반반이다.'인 경우는 $\frac{1}{2}$, '확실하다.'인 경우는 1로 나타낼 수 있습니다.

회전판에 다음과 같이 빨간색과 노란색을 여러 가지 방법으로 색칠했습니다. ☐ 안에 알맞은 기호를 써넣으시오. (01~04)

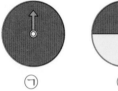  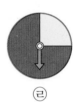 

ㄱ   ㄴ   ㄷ   ㄹ   ㅁ

01 화살이 노란색에 멈추는 것이 불가능한 회전판은 ☐입니다.

02 화살이 노란색에 멈추는 것이 확실한 회전판은 ☐입니다.

03 화살이 빨간색과 노란색에 멈출 가능성이 비슷한 회전판은 ☐입니다.

04 화살이 빨간색에 멈출 가능성이 가장 큰 것부터 차례로 기호를 쓰면 ☐, ☐, ☐, ☐, ☐입니다.

동전 한 개를 던졌을 때 그림면이 나올 가능성을 수로 나타내려고 합니다. 물음에 답하시오.
(05~06)

05 동전 한 개를 던졌을 때 그림면이 나올 가능성을 말로 표현 해 보시오.

(   )

06 동전 한 개를 던졌을 때 그림면이 나올 가능성을 수로 나타내시오.

(   )

주머니 안에 빨간색 공이 6개, 파란색 공이 2개 들어 있습니다. 이 주머니에서 공을 1개 꺼낼 때 물음에 답하시오. (07~09)

07 꺼낸 공이 노란색일 가능성을 수로 나타내시오.

(   )

08 꺼낸 공이 빨간색 공일 가능성을 기약분수로 나타내시오.

(   )

09 꺼낸 공이 파란색 공일 가능성을 기약분수로 나타내시오.

(   )

1부터 10까지의 수가 쓰여진 수 카드가 각각 한 장씩 있습니다. 이 수 카드를 모두 주머니에 넣고 1장을 꺼낼 때 물음에 답하시오. (10~11)

10 짝수가 나올 가능성을 수로 나타내시오.

(   )

11 10 이하의 자연수가 나올 가능성을 수로 나타내시오.

(   )

🌸 ☐ 안에 알맞은 수를 써넣으시오. (01~03)

01 흰색 바둑돌이 ☐ 개, 검은색 바둑돌이 **6**개 들어 있는 주머니에서 바둑돌을 **1**개 꺼 낼 때 흰색 바둑돌일 가능성은 $\frac{1}{4}$, 검은색 바둑돌일 가능성은 ☐ 입니다.

02 상자 안에 딸기맛 사탕과 자두맛 사탕이 들어 있습니다. 이 상자에서 사탕을 **1**개 꺼 낼 때 딸기맛 사탕일 가능성은 ☐ 이고, 자두맛 사탕일 가능성은 $\frac{1}{2}$ 입니다. 상자 안에 있는 사탕이 모두 **10**개라면, 딸기맛 사탕은 ☐ 개, 자두맛 사탕은 ☐ 개입 니다.

03 빨간색 구슬이 ☐ 개, 파란색 구슬이 ☐ 개, 노란색 구슬이 **12**개 들어 있는 주머 니에서 구슬을 **1**개 꺼낼 때 빨간색 구슬일 가능성은 $\frac{1}{4}$, 파란색 구슬일 가능성은 ☐ , 노란색 구슬일 가능성은 $\frac{1}{2}$ 입니다.

🌸 에 알맞은 회전판이 되도록 색칠해 보시오. (04~05)

04 조건
• 화살이 빨간색에 멈출 가능성이 가장 높습니다.
• 화살이 주황색에 멈출 가능성이 노란색에 멈출 가능성의 **2**배입니다.

05 조건
• 화살이 빨간색에 멈출 가능성은 $\frac{1}{4}$ 입니다.
• 화살이 노란색에 멈출 가능성이 가장 높습니다.
• 화살이 초록색에 멈출 가능성이 주황색에 멈출 가능성의 **2**배입니다.

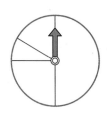

민수와 지혜는 다음과 같은 규칙으로 회전판 돌리기를 하려고 합니다. 물음에 답하시오.

(06~08)

〈놀이 1〉
민수는 회전판의 화살이 '동물 이름'에 멈추면 1점을 얻고, 지혜는 회전판의 화살이 '채소 이름'에 멈추면 1점을 얻습니다.

〈놀이 2〉
민수는 회전판의 화살이 파란색에 멈추면 1점을 얻고, 지혜는 회전판의 화살이 초록색에 멈추면 1점을 얻습니다.

〈놀이 3〉
민수는 회전판의 화살이 '3글자 낱말'에 멈추면 1점을 얻고, 지혜는 회전판의 화살이 '2글자 낱말'에 멈추면 1점을 얻습니다.

06 〈놀이 1〉은 민수와 지혜 중 누구에게 더 유리한 놀이입니까?

( )

07 〈놀이 2〉는 민수와 지혜 중 누구에게 더 유리한 놀이입니까?

( )

08 공평한 놀이가 되려면 〈놀이 1〉, 〈놀이 2〉, 〈놀이 3〉 중 어느 방법으로 해야 합니까?

( )

사고력 기르기

Step 2

 주머니 안에 표와 같이 여러 가지 색의 구슬이 들어 있습니다. 이 주머니에서 구슬 1개를 꺼낼 때 나오는 가능성이 다음과 같을 때 표를 완성하시오. (01~04)

01

빨간색(개)	파란색(개)	노란색(개)
	6	4

➡ 빨간색 구슬일 가능성 : $\dfrac{1}{2}$

02

빨간색(개)	파란색(개)	노란색(개)
8		7

➡ 파란색 구슬일 가능성 : $\dfrac{1}{4}$

03

빨간색(개)	파란색(개)	노란색(개)
2	4	

➡ 노란색 구슬일 가능성 : $\dfrac{3}{4}$

04

빨간색(개)	파란색(개)	노란색(개)	초록색(개)
6	8	10	

➡ 초록색 구슬일 가능성 : $\dfrac{1}{4}$

오른쪽 그림과 같이 한 변의 길이가 1 cm인 정오각형 ㄱㄴㄷㄹㅁ이 있습니다. 주사위를 2번 던질 때 점 ㉮는 꼭짓점 ㄱ에서 출발하여 처음 던져 나온 눈의 수와 두 번째 던져 나온 눈의 수만큼 시계 반대 방향으로 이동할 때 물음에 답하시오. (단, 눈의 수가 3이면 3 cm를 이동합니다.) (05~09)

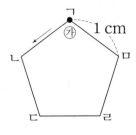

05 주사위를 두 번 던졌을 때 주사위의 눈이 나오는 경우는 모두 몇 가지입니까?

(   )

06 점 ㉮가 점 ㄷ에 오는 경우는 모두 몇 가지입니까?

(   )

07 점 ㉮가 점 ㄷ에 올 가능성을 수로 나타내시오.

(   )

08 점 ㉮가 점 ㄹ에 올 가능성을 수로 나타내시오.

(   )

09 점 ㉮가 점 ㅁ에 올 가능성을 수로 나타내시오.

(   )

 회전판을 돌렸을 때 화살이 빨간색에 멈출 가능성을 찾아 기호를 써 보시오. (01~04)

> ㉠ 확실하다.   ㉡ ~일 것 같다.   ㉢ 반반이다.
> ㉣ ~아닐 것 같다.   ㉤ 불가능하다.

01

(   )

02

(   )

03

(   )

04

(   )

 주사위 한 개를 던졌습니다. 물음에 답하시오. (05~07)

05　홀수의 눈이 나올 가능성을 수로 나타내시오.

(   )

06　6보다 작은 수의 눈이 나올 가능성을 수로 나타내시오.

(   )

07　10보다 큰 수의 눈이 나올 가능성을 수로 나타내시오.

(   )

08　주머니 안에 빨간색 구슬 3개, 파란색 구슬 2개, 노란색 구슬 5개가 들어 있습니다.
　　이 중에서 구슬을 1개 꺼낼 때, 노란색 구슬이 나올 가능성을 수로 나타내시오.

(   )

09 에 알맞은 회전판이 되도록 색칠해 보시오.

> **조건**
>
> • 화살이 초록색에 멈출 가능성이 가장 높습니다.
> • 화살이 노란색에 멈출 가능성이 빨간색에 멈출 가능성의 **2**배입니다.
> • 화살이 주황색에 멈출 가능성이 빨간색에 멈출 가능성의 **3**배입니다.

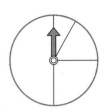

주머니 안에 표와 같이 여러 가지 색의 구슬이 들어 있습니다. 이 주머니에서 구슬 **1**개를 꺼낼 때 나오는 가능성이 다음과 같을 때 표를 완성하시오. (10~11)

10

빨간색(개)	파란색(개)	노란색(개)
	9	7

➡ 빨간색 구슬일 가능성 : $\dfrac{1}{2}$

11

빨간색(개)	파란색(개)	노란색(개)
13		11

➡ 파란색 구슬일 가능성 : $\dfrac{1}{4}$

12 오른쪽 그림과 같이 한 변의 길이가 **1** cm인 정육각형 ㄱㄴㄷㄹㅁㅂ이 있습니다. 주사위를 **2**번 던질 때 점 ㉮는 꼭짓점 ㄱ에서 출발하여 처음 던져 나온 수와 두 번째 던져 나온 수만큼 시계 반대 방향으로 이동할 때 점 ㉮가 점 ㅁ에 올 가능성을 수로 나타내시오. (단, 눈의 수가 **3**이면 **3** cm를 이동합니다.)

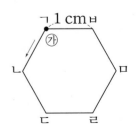

(   )

Memo

정답 및 해설

5학년 하권

개념 01 수의 범위 알아보기 | 4쪽

01 9, 10, 11, 12, 이상
02 19, 18, 17, 16, 이하
03 19, 20, 21, 초과 04 30, 29, 28, 미만
05 8, 16, 11   06 15, 11, 17
07 28, 25, 23, 26 08 38, 39, 40
09 43 이상 47 이하인 수
10 28 이상 33 미만인 수
11 38 초과 42 이하인 수
12 56 초과 60 미만인 수

05 8보다 크거나 같고 16보다 작거나 같은 수를 찾습니다.

06 11보다 크거나 같고 18보다 작은 수를 찾습니다.

07 21보다 크고 28보다 작거나 같은 수를 찾습니다.

08 36보다 크고 41보다 작은 수를 찾습니다.

사고력 기르기

Step 1 | 6쪽

01 이상, 이하   02 초과, 미만
03 이상, 미만   04 초과, 이하
05 9, 16   06 20, 26
07 19, 26   08 67, 79
09 4개   10 15개
11 5개   12 4개
13 6개   14 6개

09 ㉠과 ㉡을 모두 만족하는 자연수는
    11 초과 15 이하인 수입니다.

10 ㉠과 ㉡을 모두 만족하는 자연수는
    21 이상 36 미만인 수입니다.

11 ㉠과 ㉡을 모두 만족하는 자연수는
    35 이상 40 미만인 수입니다.

12 6.6, 6.7, 7.6, 7.7 ➡ 4개

13 5.6, 5.7, 5.8, 6.6, 6.7, 6.8 ➡ 6개

14 9.3, 9.4, 10.3, 10.4, 11.3, 11.4 ➡ 6개

사고력 기르기

Step 2 | 8쪽

01 6000원   02 8000원
03 5000원   04 6500원
05 24개   06 27개
07 3690   08 5843

01 $1000 \times 2 + 2000 \times 2 = 6000$(원)

02 $1000 + 1500 \times 2 + 2000 \times 2 = 8000$(원)

03 $1000 + 2000 \times 2 = 5000$(원)

04 $1000 + 1500 + 2000 \times 2 = 6500$(원)

05 백의 자리가 3인 경우 : 12개, 백의 자리가 4인 경우 : 12개 ➡ 12+12=24(개)

06 백의 자리가 3인 경우 : 3개, 백의 자리가 5인 경우 : 12개, 백의 자리가 7인 경우 : 12개
    ➡ 3+12+12=27(개)

실력 점검

| 10쪽

01 14, 21, 18   02 31, 26, 34, 27
03 20, 26, 25, 22 04 70, 74, 68, 72
05 24 이상 28 미만인 수
06 45 초과 49 이하인 수
07 74 이상 78 이하인 수
08 58 초과 63 미만인 수
09 4개   10 7개
11 4개   12 6개
13 24개

01 14보다 크거나 같고 21보다 작거나 같은 수를 찾습니다.

02 26보다 크거나 같고 38보다 작은 수를 찾습니다.

03 19보다 크고 26보다 작거나 같은 수를 찾습니다.

04 65보다 크고 75보다 작은 수를 찾습니다.

09 ㉠과 ㉡을 모두 만족하는 자연수는
34 이상 **38** 미만인 수입니다.

10 ㉠과 ㉡을 모두 만족하는 자연수는
68 이상 **74** 이하인 수입니다.

11 7.5, 7.6, 8.5, 8.6 ➡ **4**개

12 6.3, 6.4, 6.5, 7.3, 7.4, 7.5 ➡ **6**개

13 백의 자리가 **4**인 경우 : **6**개, 백의 자리가 **5**인 경
우 : **12**개, 백의 자리가 **8**인 경우 : **6**개
➡ **6**+**12**+**6**=**24**(개)

개념 02 어림하기 | 12쪽

01 24580, 24600, 25000, 30000
02 36870, 36800, 36000, 30000
03 58460, 58500, 58000, 60000
04 풀이 참조   **05** 풀이 참조
06 풀이 참조

04

수	십의 자리까지	백의 자리까지	천의 자리까지	만의 자리까지
13579	13580	13600	14000	20000
32651	32660	32700	33000	40000
49580	49580	49600	50000	50000
80569	80570	80600	81000	90000
98601	98610	98700	99000	100000

05

수	십의 자리까지	백의 자리까지	천의 자리까지	만의 자리까지
29657	29650	29600	29000	20000
38950	38950	38900	38000	30000
95842	95840	95800	95000	90000
80568	80560	80500	80000	80000
62507	62500	62500	62000	60000

06

수	십의 자리까지	백의 자리까지	천의 자리까지	만의 자리까지
24680	24680	24700	25000	20000
35842	35840	35800	36000	40000
69581	69580	69600	70000	70000
40568	40570	40600	41000	40000
98765	98770	98800	99000	100000

사고력 기르기 Step 1 | 14쪽

01 75500, 75400, 75400
02 98400, 98300, 98300
03 24000, 23000, 24000
04 21000, 20000, 20000
05 11   **06** 7
07 18   **08** 99
09 999   **10** 99

01 만들 수 있는 가장 큰 다섯 자리 수는 **75431**입
니다.

02 만들 수 있는 가장 큰 다섯 자리 수는 **98320**입
니다.

03 만들 수 있는 가장 작은 다섯 자리 수는 **23569**
입니다.

04 만들 수 있는 가장 작은 다섯 자리 수는 **20457**
입니다.

05 십의 자리 아래 수를 올림하여 나타냈을 때 **80**이
되는 자연수는 **71**부터 **80**까지이고 이중에서 **7**
로 나누어떨어지는 수는 **77**이므로 영수가 처음에
생각한 자연수는 **77**÷**7**=**11**입니다.

06 십의 자리 아래 수를 버림하여 나타냈을 때 **90**이
되는 자연수는 **90**부터 **99**까지이고 이중에서 **13**
으로 나누어떨어지는 수는 **91**이므로 영수가 처음
에 생각한 자연수는 **91**÷**13**=**7**입니다.

07 반올림하여 십의 자리까지 나타냈을 때 **250**이
되는 자연수는 **245**부터 **254**까지이고 이중에서

14로 나누어떨어지는 수는 252이므로 영수가 처음에 생각한 자연수는 252÷14=18입니다.

08 가장 큰 수 : 7500, 가장 작은 수 : 7401
➡ 7500−7401=99

09 가장 큰 수 : 29999, 가장 작은 수 : 29000
➡ 29999−29000=999

10 가장 큰 수 : 2449, 가장 작은 수 : 2350
➡ 2449−2350=99

사고력 기르기   Step 2 | 16쪽

01 8650 이상 8750 미만인 자연수
02 15500 이상 16500 미만인 자연수
03 ㉡, ㉢, ㉠   **04** ㉠, ㉢, ㉡
05 5, 6, 7, 8, 9   **06** 5, 6, 7, 8, 9
07 0, 1, 2, 3, 4   **08** 0, 1, 2, 3, 4
09 351, 352, 353, 354

01 8650부터 8749까지이므로 8650 이상 8750 미만인 자연수입니다.

02 15500부터 16499까지이므로 15500 이상 16500 미만인 자연수입니다.

03 ㉠ 5700 ㉡ 5799 ㉢ 5749 ➡ ㉡>㉢>㉠

04 ㉠ 68001 ㉡ 69000 ㉢ 68500
➡ ㉠<㉢<㉡

05 올림하여 백의 자리까지 나타낸 수와 반올림하여 백의 자리까지 나타낸 수는 82600으로 같습니다. 따라서 □ 안에 들어갈 수 있는 숫자는 5, 6, 7, 8, 9입니다.

06 올림하여 백의 자리까지 나타낸 수와 반올림하여 백의 자리까지 나타낸 수는 62800으로 같습니다. 따라서 □ 안에 들어갈 수 있는 숫자는 5, 6, 7, 8, 9입니다.

07 버림하여 천의 자리까지 나타낸 수와 반올림하여 천의 자리까지 나타낸 수는 725000으로 같습니다. 따라서 □ 안에 들어갈 수 있는 숫자는 0, 1, 2, 3, 4입니다.

08 버림하여 천의 자리까지 나타낸 수와 반올림하여 천의 자리까지 나타낸 수는 897000으로 같습니다. 따라서 □ 안에 들어갈 수 있는 숫자는 0, 1, 2, 3, 4입니다.

09 ㉠ 351부터 360까지의 수
㉡ 350부터 359까지의 수
㉢ 345부터 354까지의 수
따라서 조건을 모두 만족하는 수는 351, 352, 353, 354입니다.

실력 점검 | 18쪽

01 68260, 68200, 68000, 70000
02 풀이 참조   **03** 풀이 참조
04 풀이 참조
05 97700, 97600, 97700
06 14   **07** 99
08 1745 이상 1754 이하인 자연수
09 0, 1, 2, 3, 4

02

수	십의 자리까지	백의 자리까지	천의 자리까지	만의 자리까지
69852	69860	69900	70000	70000
40589	40590	40600	41000	50000
98632	98640	98700	99000	100000

03

수	십의 자리까지	백의 자리까지	천의 자리까지	만의 자리까지
75321	75320	75300	75000	70000
68950	68950	68900	68000	60000
89062	89060	89000	89000	80000

04

수	십의 자리까지	백의 자리까지	천의 자리까지	만의 자리까지
24859	24860	24900	25000	20000
39427	39430	39400	39000	40000
69508	69510	69500	70000	70000

05 만들 수 있는 가장 큰 다섯 자리 수는 **97652**입니다.

06 반올림하여 십의 자리까지 나타냈을 때 **130**이 되는 자연수는 **125**부터 **134**까지이고 이중에서 **9**로 나누어떨어지는 수는 **126**이므로 예슬이가 처음에 생각한 자연수는 $126 \div 9 = 14$입니다.

07 가장 큰 수 : **13599**, 가장 작은 수 : **13500**
➡ $13599 - 13500 = 99$

08 **1745**부터 **1754**까지이므로 **1745** 이상 **1754** 이하인 자연수입니다.

09 버림하여 천의 자리까지 나타낸 수와 반올림하여 천의 자리까지 나타낸 수는 **798000**으로 같습니다.
따라서 □ 안에 들어갈 수 있는 숫자는 **0, 1, 2, 3, 4**입니다.

---

11 $12\frac{3}{5}$　　**12** 6

13 $11\frac{2}{3}$　　**14** $9\frac{1}{3}$

15 $22\frac{2}{5}$　　**16** $6\frac{1}{4}$

 **개념 03** (진분수)×(자연수), (자연수)×(진분수) 알아보기 | 20쪽

01 (1) **9, 2, 9, 4, 1**　(2) **2, 3, 9, 4, 1**

02 (1) **8, 3, 8, 2, 2**　(2) **4, 3, 8, 2, 2**

03 $\frac{1}{\overset{}{\underset{2}{4}}} \times \overset{5}{\cancel{10}} = \frac{5}{2} = 2\frac{1}{2}$

04 $\overset{2}{\cancel{8}} \times \frac{5}{\underset{3}{\cancel{12}}} = \frac{10}{3} = 3\frac{1}{3}$

05 $\frac{2}{\underset{1}{\cancel{9}}} \times \overset{3}{\cancel{27}} = 6$

06 $\overset{5}{\cancel{15}} \times \frac{5}{\underset{2}{\cancel{6}}} = \frac{25}{2} = 12\frac{1}{2}$

07 $\frac{3}{\underset{5}{\cancel{10}}} \times \overset{8}{\cancel{16}} = \frac{24}{5} = 4\frac{4}{5}$

08 $\overset{5}{\cancel{10}} \times \frac{7}{\underset{4}{\cancel{8}}} = \frac{35}{4} = 8\frac{3}{4}$

09 $4\frac{1}{2}$　　**10** $6\frac{2}{5}$

사고력 기르기 Step 1 | 22쪽

01 24　　**02** 1760
03 375　　**04** 900
05 5　　**06** 6
07 8　　**08** 10
09 12　　**10** 16
11 6　　**12** 7
13 2개　　**14** 6개
15 3개　　**16** 8개
17 $16\frac{5}{9}$　　**18** $5\frac{1}{20}$
19 $6\frac{1}{6}$

---

01 $120 \times \frac{1}{5} = 24$(분)

02 $4000 \times \frac{11}{25} = 1760$(mL)

03 $500 \times \frac{3}{4} = 375$(cm)

04 $12000 \times \frac{3}{40} = 900$(g)

05 $\frac{3}{4} \times \square = \frac{3 \times \square}{4} = \frac{15}{4}$, $3 \times \square = 15$, $\square = 5$

09 $\frac{5}{8} \times \square = \frac{5 \times \square}{8} = \frac{15}{2} = \frac{60}{8}$, $5 \times \square = 60$, $\square = 12$

13 $\frac{3}{\blacksquare} \times 5 = \frac{3 \times 5}{\blacksquare} = \frac{15}{\blacksquare}$이므로 **15**의 약수 중에서 **3**보다 큰 수는 **5, 15**입니다.

14 $\dfrac{2}{\blacksquare}\times 12=\dfrac{24}{\blacksquare}$ 이므로 24의 약수 중에서 2보다 큰 수는 3, 4, 6, 8, 12, 24입니다.

15 $10\times\dfrac{5}{\blacksquare}=\dfrac{50}{\blacksquare}$ 이므로 50의 약수 중에서 5보다 큰 수는 10, 25, 50입니다.

16 $15\times\dfrac{4}{\blacksquare}=\dfrac{60}{\blacksquare}$ 이므로 60의 약수 중에서 4보다 큰 수는 5, 6, 10, 12, 15, 20, 30, 60입니다.

17 $\dfrac{2}{3}$ 씩 커지는 규칙이므로 $\dfrac{5}{9}+\dfrac{2}{3}\times 24=16\dfrac{5}{9}$ 입니다.

18 $\dfrac{1}{5}$ 씩 커지는 규칙이므로 $\dfrac{1}{4}+\dfrac{1}{5}\times 24=5\dfrac{1}{20}$ 입니다.

19 $\dfrac{1}{4}$ 씩 커지는 규칙이므로 $\dfrac{1}{6}+\dfrac{1}{4}\times 24=6\dfrac{1}{6}$ 입니다.

사고력 기르기   **Step 2** | 24쪽

01 2, 9 / 3, 6   **02** 10, 2 / 5, 4
03 2, 12 / 3, 8 / 4, 6
04 15, 2 / 10, 3 / 6, 5
05 3, 6, 4 / 3, 9, 6 / 4, 2, 1 / 4, 6, 3 / 6, 3, 1 / 6, 9, 3 / 8, 4, 1
06 4, 8, 6 / 6, 2, 1 / 6, 4, 2 / 6, 8, 4 / 9, 3, 1 / 9, 6, 2
07 6, 3, 2 / 8, 2, 1 / 8, 4, 2 / 8, 6, 3

실력 점검 | 26쪽

01 9, 15, 2, $\dfrac{15}{2}$, $7\dfrac{1}{2}$

02 4, 3, $\dfrac{20}{3}$, $6\dfrac{2}{3}$ **03** 5, 5, 2, $\dfrac{5}{2}$, $2\dfrac{1}{2}$

---

04 3, 5, $\dfrac{21}{5}$, $4\dfrac{1}{5}$ **05** $4\dfrac{2}{3}$

06 $7\dfrac{1}{3}$ **07** $12\dfrac{3}{4}$

08 $2\dfrac{2}{3}$ **09** $4\dfrac{4}{9}$

10 $6\dfrac{3}{5}$ **11** $5\dfrac{1}{4}$

12 $10\dfrac{1}{5}$ **13** 5

14 3   **15** 4
16 10   **17** 7개
18 5개   **19** 2, 9 / 3, 6
20 24, 2 / 16, 3 / 12, 4 / 8, 6

---

13 $\dfrac{5}{6}\times\square=\dfrac{5\times\square}{6}=\dfrac{25}{6}$, $5\times\square=25$, $\square=5$

15 $\dfrac{5}{8}\times\square=\dfrac{5\times\square}{8}=\dfrac{5}{2}=\dfrac{20}{8}$, $5\times\square=20$, $\square=4$

17 $\dfrac{2}{\blacksquare}\times 18=\dfrac{36}{\blacksquare}$ 이므로 36의 약수 중에서 2보다 큰 수는 3, 4, 6, 9, 12, 18, 36입니다.

18 $8\times\dfrac{6}{\blacksquare}=\dfrac{48}{\blacksquare}$ 이므로 48의 약수 중에서 6보다 큰 수는 8, 12, 16, 24, 48입니다.

개념 **04**   (대분수)×(자연수), (자연수)×(대분수) 알아보기 | 28쪽

01 3, 3, 1, 3, 6, 1, 6, 1
02 6, 6, 3, 6, 18, 4, 1, 22, 1
03 4, 4, 4, 3, 4, 2, 2, 6, 2
04 6, 6, 6, 3, 12, 4, 1, 16, 1
05 $\dfrac{8}{5}\times 2=\dfrac{16}{5}=3\dfrac{1}{5}$
06 $\dfrac{11}{4}\times 3=\dfrac{33}{4}=8\dfrac{1}{4}$
07 $\overset{1}{4}\times\dfrac{11}{\underset{2}{8}}=\dfrac{11}{2}=5\dfrac{1}{2}$

08 $\overset{3}{\cancel{9}} \times \dfrac{8}{\cancel{3}} = 24$

09 $10\dfrac{4}{5}$ 10 $5\dfrac{1}{3}$

11 21 12 $4\dfrac{2}{3}$

13 $6\dfrac{6}{7}$ 14 30

15 $22\dfrac{1}{5}$ 16 $12\dfrac{2}{3}$

사고력 기르기   **Step 1** | 30쪽

01 2 02 3
03 4 04 5
05 2 06 6
07 6 08 4
09 $1, 3 / 4, 2$ 10 $2, 3 / 7, 2$
11 $3\dfrac{1}{2}, 4, 14 / 2\dfrac{3}{4}, 1, 2\dfrac{3}{4}$
12 $5\dfrac{1}{3}, 7, 37\dfrac{1}{3} / 3\dfrac{5}{7}, 1, 3\dfrac{5}{7}$
13 $5\dfrac{2}{3}, 8, 45\dfrac{1}{3} / 3\dfrac{5}{8}, 2, 7\dfrac{1}{4}$

01 $2\dfrac{1}{3} \times \square = \dfrac{7 \times \square}{3} = \dfrac{14}{3}$, $\square = 2$

02 $\square \times 4\dfrac{3}{4} = \dfrac{\square \times 19}{4} = \dfrac{57}{4}$, $\square = 3$

사고력 기르기   **Step 2** | 32쪽

01 $3\dfrac{1}{2}, 4, 14 / 5\dfrac{1}{2}, 4, 22$

02 $2\dfrac{1}{3}, 9, 21 / 5\dfrac{1}{3}, 9, 48$
   $1\dfrac{2}{3}, 9, 15 / 5\dfrac{2}{3}, 9, 51$

03 $5\dfrac{2}{3}, 6, 34 / 7\dfrac{2}{3}, 6, 46 / 5\dfrac{2}{6}, 3, 16$

$7\dfrac{2}{6}, 3, 22 / 5\dfrac{3}{6}, 2, 11 / 7\dfrac{3}{6}, 2, 15$

04 $6, 3, 5 / 6, 9, 15 / 8, 2, 3 / 8, 4, 6 /$
   $8, 6, 9$

05 $4, 8, 11 / 3, 9, 8 / 6, 9, 16$

06 $3, 6, 10 / 3, 9, 15 / 4, 2, 3 / 4, 6, 9 /$
   $4, 8, 12 / 6, 3, 4 / 6, 9, 12 / 8, 4, 5$

실력 점검 | 34쪽

01 풀이 참조   02 풀이 참조
03 풀이 참조   04 풀이 참조

05 10 06 $8\dfrac{1}{2}$

07 $8\dfrac{3}{4}$ 08 18

09 $16\dfrac{1}{5}$ 10 $17\dfrac{1}{2}$

11 $32\dfrac{2}{3}$ 12 $8\dfrac{1}{7}$

13 3 14 3
15 2 16 4

17 $7\dfrac{4}{5}, 9, 70\dfrac{1}{5} / 5\dfrac{7}{9}, 4, 23\dfrac{1}{9}$

18 $4, 1\dfrac{6}{8}, 7 / 4, 7\dfrac{6}{8}, 31 / 6, 1\dfrac{4}{8}, 9$
   $6, 7\dfrac{4}{8}, 45 / 8, 6\dfrac{1}{4}, 50 / 8, 7\dfrac{1}{4}, 58$

01 $3\dfrac{2}{5} \times 4 = \left(3 + \dfrac{2}{5}\right) \times 4 = (3 \times 4) + \left(\dfrac{2}{5} \times 4\right)$
   $= 12 + 1\dfrac{3}{5} = 13\dfrac{3}{5}$

02 $6 \times 2\dfrac{3}{4} = 6 \times \left(2 + \dfrac{3}{4}\right) = (6 \times 2) + \left(\overset{3}{\cancel{6}} \times \dfrac{3}{\cancel{4}}\right)$
   $= 12 + 4\dfrac{1}{2} = 16\dfrac{1}{2}$

03 $2\dfrac{1}{8} \times 3 = \dfrac{17}{8} \times 3 = \dfrac{51}{8} = 6\dfrac{3}{8}$

04 $5 \times 3\dfrac{1}{6} = 5 \times \dfrac{19}{6} = \dfrac{95}{6} = 15\dfrac{5}{6}$

개념 **05** 알아보기
(진분수)×(진분수)

| 36쪽

01 3, 4, 12 02 5, 4, 20
03 7, 2, 14 04 9, 6, 54

05 $2/7/\dfrac{8}{21}$ 06 $1, 7/11, 5/\dfrac{7}{55}$

07 $4, 1/1, 7/\dfrac{8}{35}$ 08 $\dfrac{1}{15}$

09 $\dfrac{1}{35}$ 10 $\dfrac{1}{28}$

11 $\dfrac{1}{64}$ 12 $\dfrac{1}{40}$

13 $\dfrac{1}{72}$ 14 $\dfrac{6}{35}$

15 $\dfrac{1}{24}$ 16 $\dfrac{7}{40}$

17 $\dfrac{1}{14}$ 18 $\dfrac{2}{5}$

19 $\dfrac{7}{20}$ 20 $\dfrac{1}{9}$

21 $\dfrac{1}{48}$ 22 $\dfrac{11}{14}$

23 $\dfrac{3}{20}$ 24 $\dfrac{5}{56}$

25 $\dfrac{4}{15}$ 26 $\dfrac{5}{42}$

27 $\dfrac{1}{15}$

사고력 기르기
Step 1 | 38쪽

01 1, 2 02 1, 2, 3
03 1, 2, 3, 4 04 1, 2, 3
05 2, 4 06 2, 4, 8
07 2, 3, 4, 6 08 3, 9
09 2, 5 10 3, 5
11 $\dfrac{1}{16}$ 12 $\dfrac{1}{11}$
13 $\dfrac{4}{49}$ 14 $\dfrac{2}{5} \times \dfrac{3}{7} = \dfrac{6}{35}$

15 $\dfrac{5}{13} \times \dfrac{4}{10} = \dfrac{20}{130} = \dfrac{2}{13}$

16 $\dfrac{5}{15} \times \dfrac{3}{10} = \dfrac{15}{150} = \dfrac{1}{10}$

11 $\dfrac{1}{2} \times \dfrac{2}{3} \times \dfrac{3}{4} \times \cdots \times \dfrac{15}{16} = \dfrac{1}{16}$

12 $\dfrac{3}{5} \times \dfrac{5}{7} \times \dfrac{7}{9} \times \cdots \times \dfrac{31}{33} = \dfrac{3}{33} = \dfrac{1}{11}$

13 $\dfrac{4}{7} \times \dfrac{7}{10} \times \dfrac{10}{13} \times \cdots \times \dfrac{46}{49} = \dfrac{4}{49}$

사고력 기르기
Step 2 | 40쪽

01 2개 02 3개
03 4개
04 1, 2 / 2, 4 / 3, 6 / 4, 8
05 3, 1 / 6, 2 / 9, 3
06 풀이 참조 07 풀이 참조
08 풀이 참조

01 $28 < 7 \times \square < 49$ ➡ $4 < \square < 7$이므로 □ 안에 들어갈 수 있는 자연수는 5, 6입니다.

04 $\dfrac{\blacksquare}{5} \times \dfrac{1}{\blacktriangle} = \dfrac{\blacksquare}{5 \times \blacktriangle} = \dfrac{1}{10}$ 이므로 ▲는 ■의 2배입니다.

05 $\dfrac{\blacksquare}{\underset{5}{10}} \times \dfrac{2}{\blacktriangle} = \dfrac{\blacksquare}{5 \times \blacktriangle} = \dfrac{3}{5}$ 이므로 ■는 ▲의 3배입니다.

06 $\dfrac{1}{3} \times \dfrac{1}{4} \times \dfrac{1}{5} + \dfrac{1}{4} \times \dfrac{1}{5} \times \dfrac{1}{6}$
$= \left(\dfrac{1}{3 \times 4} - \dfrac{1}{4 \times 5} \right) \times \dfrac{1}{2}$
$\quad + \left(\dfrac{1}{4 \times 5} - \dfrac{1}{5 \times 6} \right) \times \dfrac{1}{2}$

$$=\left(\frac{1}{3\times4}-\frac{1}{4\times5}+\frac{1}{4\times5}-\frac{1}{5\times6}\right)\times\frac{1}{2}$$

$$=\left(\frac{1}{12}-\frac{1}{30}\right)\times\frac{1}{2}=\frac{1}{40}$$

07 $\frac{1}{4}\times\frac{1}{5}\times\frac{1}{6}+\frac{1}{5}\times\frac{1}{6}\times\frac{1}{7}+\frac{1}{6}\times\frac{1}{7}\times\frac{1}{8}$

$$=\left(\frac{1}{4\times5}-\frac{1}{5\times6}\right)\times\frac{1}{2}+\left(\frac{1}{5\times6}-\frac{1}{6\times7}\right)\times\frac{1}{2}$$

$$+\left(\frac{1}{6\times7}-\frac{1}{7\times8}\right)\times\frac{1}{2}$$

$$=\left(\frac{1}{4\times5}-\frac{1}{5\times6}+\frac{1}{5\times6}-\frac{1}{6\times7}\right.$$

$$\left.+\frac{1}{6\times7}-\frac{1}{7\times8}\right)\times\frac{1}{2}$$

$$=\left(\frac{1}{20}-\frac{1}{56}\right)\times\frac{1}{2}=\frac{9}{560}$$

08 $\frac{1}{2}\times\frac{1}{3}\times\frac{1}{4}+\frac{1}{3}\times\frac{1}{4}\times\frac{1}{5}+\frac{1}{4}\times\frac{1}{5}\times\frac{1}{6}$

$$+\frac{1}{5}\times\frac{1}{6}\times\frac{1}{7}$$

$$=\left(\frac{1}{2\times3}-\frac{1}{3\times4}\right)\times\frac{1}{2}+\left(\frac{1}{3\times4}-\frac{1}{4\times5}\right)\times\frac{1}{2}$$

$$+\left(\frac{1}{4\times5}-\frac{1}{5\times6}\right)\times\frac{1}{2}+\left(\frac{1}{5\times6}-\frac{1}{6\times7}\right)\times\frac{1}{2}$$

$$=\left(\frac{1}{2\times3}-\frac{1}{3\times4}+\frac{1}{3\times4}-\frac{1}{4\times5}+\frac{1}{4\times5}\right.$$

$$\left.-\frac{1}{5\times6}+\frac{1}{5\times6}-\frac{1}{6\times7}\right)\times\frac{1}{2}$$

$$=\left(\frac{1}{6}-\frac{1}{42}\right)\times\frac{1}{2}=\frac{1}{14}$$

실력 점검

42쪽

01 2, 5, 10   **02** 7, 8, 56

03 4, 3 / 2, 7 / $\frac{8}{21}$

04 1, 3 / 7, 2, 5 / $\frac{9}{70}$

05 $\frac{1}{99}$ **06** $\frac{1}{70}$

07 $\frac{7}{24}$ **08** $\frac{4}{45}$

---

09 $\frac{3}{14}$ **10** $\frac{1}{4}$

11 $\frac{1}{8}$ **12** $\frac{5}{32}$

13 $\frac{7}{48}$ **14** $\frac{1}{9}$

15 $\frac{7}{18}$ **16** $\frac{6}{35}$

17 1, 2, 3   **18** 1, 2, 3, 4, 5

19 $\frac{3}{103}$ **20** $\frac{9}{49}$

21 1, 2 / 2, 4 / 3, 6 / 4, 8

---

19 $\frac{3}{\cancel{8}}\times\frac{\cancel{8}}{\cancel{13}}\times\frac{\cancel{13}}{\cancel{18}}\times\cdots\times\frac{98}{103}=\frac{3}{103}$

20 $\frac{9}{\cancel{11}}\times\frac{\cancel{11}}{\cancel{13}}\times\frac{\cancel{13}}{\cancel{15}}\times\cdots\times\frac{47}{49}=\frac{9}{49}$

21 $\dfrac{\blacksquare}{14}\times\dfrac{1}{\blacktriangle}=\dfrac{\blacksquare}{14\times\blacktriangle}=\dfrac{1}{28}$ 이므로 ▲는 ■의

2배입니다.

개념 06 (대분수)×(대분수) 알아보기

44쪽

01 15, 9, 15, 9, 135, 27, 3, 6

02 5, 13, 5, 13, 65, 13, 6, 1

03 11, 2 / 7, 4 / $\frac{77}{8}$, $9\frac{5}{8}$

04 3, 5 / 26, 1 / $\frac{78}{5}$, $15\frac{3}{5}$

05 $\dfrac{\cancel{9}}{\cancel{4}}\times\dfrac{\cancel{22}}{\cancel{9}}=\dfrac{11}{2}=5\dfrac{1}{2}$

06 $\dfrac{7}{\cancel{4}}\times\dfrac{\cancel{18}}{5}=\dfrac{63}{10}=6\dfrac{3}{10}$

07 $\dfrac{\cancel{21}}{8}\times\dfrac{31}{\cancel{9}}=\dfrac{217}{24}=9\dfrac{1}{24}$

08 $3\frac{1}{30}$　　09 $7\frac{1}{2}$

10 $6\frac{2}{3}$　　11 21

12 $5\frac{5}{6}$　　13 11

14 $10\frac{4}{5}$　　15 $49\frac{7}{8}$

---

12 $1\frac{3}{4} ★ 1\frac{2}{7} = 1\frac{3}{4} × \left(1\frac{3}{4} + 1\frac{2}{7}\right)$

$= 1\frac{3}{4} × 3\frac{1}{28} = \frac{7}{4} × \frac{85}{28}$

$= \frac{85}{16} = 5\frac{5}{16}$

13 $\frac{3}{2} × \frac{4}{3} × \frac{5}{4} × \cdots\cdots × \frac{21}{20} = \frac{21}{2} = 10\frac{1}{2}$

14 $\frac{7}{5} × \frac{9}{7} × \frac{11}{9} × \cdots\cdots × \frac{27}{25} = \frac{27}{5} = 5\frac{2}{5}$

15 $\frac{13}{9} × \frac{17}{13} × \frac{21}{17} × \cdots\cdots × \frac{89}{85} = \frac{89}{9} = 9\frac{8}{9}$

사고력 기르기　　Step 1 | 46쪽

01 1　　02 5

03 2　　04 7

05 3　　06 2

07 5　　08 3

09 $5\frac{3}{4}, 1\frac{2}{5}, 8\frac{1}{20}$　　10 $9\frac{5}{8}, 1\frac{3}{9}, 12\frac{5}{6}$

11 풀이 참조　　12 풀이 참조

13 $10\frac{1}{2}$　　14 $5\frac{2}{5}$

15 $9\frac{8}{9}$

01 $2\frac{1}{3} × 1\frac{□}{4} = 2\frac{11}{12}$ ➡ $\frac{7}{3} × \frac{4+□}{4} = \frac{35}{12}$

➡ $\frac{7×(4+□)}{12} = \frac{35}{12}$ ➡ $7×(4+□)=35$

➡ $□=1$

05 $1\frac{3}{4} × 1\frac{□}{5} = 2\frac{4}{5}$ ➡ $\frac{7}{4} × \frac{5×□}{5} = \frac{14}{5}$

➡ $\frac{7×(5+□)}{20} = \frac{56}{20}$ ➡ $7×(5+□)=56$

➡ $□=3$

11 $1\frac{1}{5} ★ \frac{2}{3} = 1\frac{1}{5} × \left(1\frac{1}{5} + \frac{2}{3}\right)$

$= 1\frac{1}{5} × 1\frac{13}{15} = \frac{6}{5} × \frac{28}{15}$

$= \frac{56}{25} = 2\frac{6}{25}$

사고력 기르기　　Step 2 | 48쪽

01 $\frac{3}{7}, 4 / \frac{1}{14}, 3 / \frac{11}{14}, 5$

02 $\frac{7}{9}, 6 / \frac{5}{27}, 4 / \frac{13}{27}, 5$

03 $\frac{1}{2}, 10 / \frac{1}{5}, 8 / \frac{4}{5}, 12$

$\frac{1}{20}, 7 / \frac{7}{20}, 9 / \frac{13}{20}, 11 / \frac{19}{20}, 13$

04 $6\frac{1}{2}, 5\frac{3}{4}, 37\frac{3}{8} / 1\frac{3}{6}, 2\frac{4}{5}, 4\frac{1}{5}$

05 $7\frac{1}{2}, 6\frac{3}{5}, 49\frac{1}{2} / 1\frac{3}{7}, 2\frac{5}{6}, 4\frac{1}{21}$

06 $8\frac{1}{4}, 7\frac{5}{6}, 64\frac{5}{8} / 1\frac{5}{8}, 4\frac{6}{7}, 7\frac{25}{28}$

01 $2\frac{4}{5} × 1\frac{▲}{■} = \frac{14}{5} × \frac{■+▲}{■}$ 가 자연수이므로

■는 14의 약수이고, ■+▲는 5의 배수입니다.

실력 점검　　| 50쪽

01 18, 11, 198, 22, 4, 2

02 8, 5, 40, 10, 3, 1

03 7, 1 / 3, 5 / $\frac{21}{5}$, $4\frac{1}{5}$

04 13, 1 / 1, 4 / $\frac{13}{4}$, $3\frac{1}{4}$

05 $9\frac{5}{7}$　　　06 $4\frac{2}{9}$

07 $8\frac{4}{5}$　　　08 $2\frac{13}{18}$

09 $8\frac{1}{2}$　　　10 4

11 6　　　12 $35\frac{13}{21}$

13 5　　　14 1

15 3　　　16 3

17 $2\frac{5}{8}$　　　18 $13\frac{4}{5}$

19 $\frac{2}{3}$, 6 / $\frac{1}{9}$, 4 / $\frac{7}{18}$, 5 / $\frac{17}{18}$, 7

17 $\dfrac{\cancel{9}}{8} \times \dfrac{\cancel{10}}{\cancel{9}} \times \dfrac{\cancel{11}}{\cancel{10}} \times \cdots \times \dfrac{21}{\cancel{20}} = \dfrac{21}{8} = 2\dfrac{5}{8}$

18 $\dfrac{\cancel{9}}{5} \times \dfrac{\cancel{13}}{\cancel{9}} \times \dfrac{\cancel{17}}{\cancel{13}} \times \cdots \times \dfrac{69}{\cancel{65}} = \dfrac{69}{5} = 13\dfrac{4}{5}$

개념 **07** (1보다 작은 소수)×(자연수),
(자연수)×(1보다 작은 소수) 알아보기 | 52쪽

01 8, 8, 32, 3.2　　02 7, 7, 42, 4.2

03 48, 4.8　　04 27, 2.7

05 7, 63, 6.3　　06 12, 48, 0.48

07 2, 16, 1.6　　08 32, 384, 3.84

09 2.5　　10 1.2

11 5.6　　12 6.4

13 3.6　　14 5.5

15 2.24　　16 1.08

17 2.82　　18 3.33

19 11.05　　20 10.32

사고력 기르기　Step 1 | 54쪽

01 6, 9, 4　　　02 1, 3, 5

03 15.2 kg　　　04 40.95 kg

05 26.5 kg

06 1, 3, 7, 1, 5 / 7, 9, 9, 1, 9

07 1, 7, 4, 9, 7 / 3, 9, 5, 4, 9

08 1, 6, 3, 1, 4 / 2, 3, 2, 8, 0 / 2, 8, 3, 4, 1 / 4, 9, 3, 5, 9 / 7, 8, 3, 5, 5

01 곱하여 일의 자리 숫자가 6이 나오는 두 수는 4와 9입니다.

$0.64 \times 29 = 18.56(\times)$,

$0.69 \times 24 = 16.56(\bigcirc)$

02 곱하여 일의 자리 숫자가 5가 나오는 두 수는 1과 5, 3과 5입니다.

$41 \times 0.35 = 14.35(\bigcirc)$,

$45 \times 0.31 = 13.95(\times)$,

$43 \times 0.15 = 6.45(\times)$,

$45 \times 0.13 = 5.85(\times)$

03 $40 \times 0.38 = 15.2(\text{kg})$

04 $45 \times 0.91 = 40.95(\text{kg})$

05 $(50 \times 0.91) - (50 \times 0.38)$
　 $= 45.5 - 19 = 26.5(\text{kg})$

사고력 기르기　Step 2 | 56쪽

01 2, 3, 5, 1, 6, 8, 5

02 2, 3, 2, 5, 7, 8, 2

03 5, 2, 3, 6, 0, 2, 2

04 8, 4, 7, 8, 3, 9, 8

05 3, 3, 2, 7, 8, 1, 2, 8

06 7, 3, 7, 6, 0, 4, 7, 9

07 1, 9, 2, 6, 5, 7, 4, 3, 8 / 50.37

08 3, 7, 2, 9, 8, 1, 6, 5, 4 / 75.21

09 5, 7, 9, 1, 4, 3, 6, 2, 8 / 76.93

01	7, 7, 35, 3.5	02	32, 3.2
03	52, 0.52	04	47, 141, 1.41
05	28, 168, 1.68	06	1.8
07	1.8	08	8.1
09	4.5	10	1.05
11	1.08	12	4.92
13	6.72	14	6.48
15	6.45	16	2, 6, 4

17 1, 5, 8, 4, 1 / 3, 5, 8, 4, 4 / 5, 7, 9, 6, 0

18 8, 3, 4, 2, 4, 7, 8

19 3, 2, 7, 5, 7, 9, 2

16 곱하여 일의 자리 숫자가 4가 나오는 두 수는 4와 6입니다.
0.24×16=3.84(×),
0.26×14=3.64(○)

개념 08 (1보다 큰 소수)×(자연수), (자연수)×(1보다 큰 소수) 알아보기 | 60쪽

01	14, 14, 42, 4.2		
02	257, 257, 1028, 10.28		
03	175, 17.5	04	738, 7.38
05	27, 81, 8.1		
06	362, 1448, 14.48		
07	43, 215, 21.5		
08	125, 1125, 11.25		
09	13.5	10	16.8
11	33.6	12	25.2
13	59.2	14	29.7
15	7.74	16	6.32
17	47.88	18	22.74
19	114.15	20	35.28

사고력 기르기 Step 1 | 62쪽

01	9, 2, 6	02	7, 8, 4

03	129.2 cm	04	193.6 cm
05	241.9 cm	06	29.3
07	37.8	08	32.28
09	풀이 참조	10	풀이 참조

01 곱하여 일의 자리 숫자가 4가 나오는 두 수는 6과 9입니다.
1.36×29=39.44(×),
1.39×26=36.14(○)

02 곱하여 일의 자리 숫자가 2가 나오는 두 수는 4와 8입니다.
74×1.28=94.72(×),
78×1.24=96.72(○)

03 16.5×8−0.4×7=129.2(cm)

04 16.5×12−0.4×11=193.6(cm)

05 16.5×15−0.4×14=241.9(cm)

06 1.2씩 커지는 규칙이므로
0.5+1.2×24=29.3입니다.

07 1.5씩 커지는 규칙이므로
1.8+1.5×24=37.8입니다.

08 1.23씩 커지는 규칙이므로
2.76+1.23×24=32.28입니다.

09 (2★3.5)▲12.7={(2+3.5)×2}▲12.7
=11▲12.7
=11×(12.7−11)
=18.7

10 3★(5▲7.3)=3★{5×(7.3−5)}
=3★11.5
=(3+11.5)×3
=43.5

사고력 기르기 Step 2 | 64쪽

01	4, 2, 8, 4, 8, 6, 6, 8, 4
02	6, 3, 2, 5, 3, 2, 3, 9, 2
03	2, 3, 2, 5, 3, 8, 4, 0, 4
04	7, 3, 3, 8, 2, 2, 9, 5

05 　3, 4, 6, 7, 1, 8, 1, 2, 0, 8, 3
06 　4, 9, 2, 5, 0, 9, 4, 5, 2, 6, 3
07 　4, 3, 1, 5, 2, 224.12
08 　9, 3, 7, 5, 1, 698.43
09 　3, 7, 8, 2, 4, 90.72
10 　4, 6, 5, 8, 9, 270.94

07 ㉠.㉡㉢×㉣㉤에서 ㉠㉡㉢×㉣㉤의 곱을 가장 크게 하려면 ㉣에 가장 큰 숫자, ㉠에 두 번째 큰 숫자, ㉡에 세 번째 큰 숫자, ㉤에 네 번째 큰 숫자, ㉢에 가장 작은 숫자를 놓아야 합니다.

09 ㉠.㉡㉢×㉣㉤에서 ㉠㉡㉢×㉣㉤의 곱을 가장 작게 하려면 ㉣에 가장 작은 숫자, ㉠에 두 번째 작은 숫자, ㉤에 세 번째 작은 숫자, ㉡에 네 번째 작은 숫자, ㉢에 가장 큰 숫자를 놓아야 합니다.

실력 점검 | 66쪽

01 　32, 32, 192, 19.2
02 　36, 3.6 　　　　03 　665, 6.65
04 　48, 144, 14.4 　05 　29, 203, 20.3
06 　32.2 　　　　　07 　19.5
08 　46.4 　　　　　09 　16.8
10 　37.2 　　　　　11 　67.6
12 　25.83 　　　　13 　38.08
14 　64.24 　　　　15 　32.76
16 　8, 5, 7 　　　　17 　56.8
18 　37.19
19 　6, 2, 7, 5, 8, 7, 8, 2
20 　9, 3, 8, 3, 6, 8, 1, 2, 8

16 곱하여 일의 자리 숫자가 6이 나오는 두 수는 7과 8입니다.
$2.47×58=143.26(×)$,
$2.48×57=141.36(○)$

17 1.7씩 커지는 규칙이므로
$7.5+1.7×29=56.8$입니다.

18 1.23씩 커지는 규칙이므로
$1.52+1.23×29=37.19$입니다.

개념 09 1보다 작은 소수끼리의 곱셈 알아보기 | 68쪽

01 　3, 7, 21, 0.21
02 　15, 9, 135, 0.135
03 　47, 82, 3854, 0.3854
04 　54, 0.54 　　　05 　128, 0.128
06 　$\dfrac{7}{10}×\dfrac{5}{10}=\dfrac{35}{100}=0.35$
07 　$\dfrac{12}{100}×\dfrac{8}{10}=\dfrac{96}{1000}=0.096$
08 　$\dfrac{9}{10}×\dfrac{43}{100}=\dfrac{387}{1000}=0.387$
09 　$\dfrac{64}{100}×\dfrac{56}{100}=\dfrac{3584}{10000}=0.3584$
10 　0.72 　　　　11 　0.14
12 　0.225 　　　13 　0.245
14 　0.248 　　　15 　0.312
16 　0.528 　　　17 　0.288
18 　0.3672 　　19 　0.1035
20 　0.0442 　　21 　0.8624

사고력 기르기 Step 1 | 70쪽

01 　5, 7 　　　　02 　6, 4
03 　2, 4 　　　　04 　9, 5
05 　1 　　　　　06 　9
07 　4

01 $0.49×0.4=0.196$, $0.59×0.5=0.295$이므로 ▦=5이고, 이때 △=7입니다.

05 0.3을 한 번씩 곱할 때마다 소수점 아래 마지막 숫자가 3, 9, 7, 1로 4개씩 반복되므로 $20÷4=5$에서 소수점 아래 20번째 자리의 숫자는 1입니다.

06 소수점 아래 마지막 숫자가 7, 9, 3, 1로 4개씩 반복되므로 $30÷4=7…2$에서 소수점 아래 30번째 자리의 숫자는 9입니다.

07 소수점 아래 마지막 숫자가 **8, 4, 2, 6**으로 **4**개씩 반복되므로 **50÷4＝12…2**에서 소수점 아래 **50**번째 자리의 숫자는 **4**입니다.

19 곱하여 일의 자리 숫자가 **4**가 되는 두 수는 **4**와 **6**입니다.
$$0.24×0.86＝0.2064(○),$$
$$0.84×0.26＝0.2184(×)$$

사고력 기르기 Step 2 | 72쪽

01 1, 3, 5, 7   **02** 6, 2, 5, 9
03 4, 3, 5, 1, 0.2193
04 6, 4, 8, 2, 0.5248
05 7, 6, 9, 3, 0.7068
06 4, 7, 1, 5, 0.0705
07 4, 9, 3, 8, 0.1862
08 6, 8, 2, 7, 0.1836
09 2, 5, 8 / 3, 5, 7 / 3, 6, 9 / 4, 5, 6

01 곱하여 일의 자리 숫자가 **1**이 되는 두 수는 **3**과 **7**입니다.
$$0.13×0.57＝0.0741(○),$$
$$0.53×0.17＝0.0901(×)$$

02 곱하여 일의 자리 숫자가 **8**이 되는 두 수는 **2**와 **9**입니다.
$$0.52×0.69＝0.3588(×),$$
$$0.62×0.59＝0.3658(○)$$

실력 점검 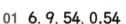 | 74쪽

01 6, 9, 54, 0.54
02 84, 3, 252, 0.252
03 45, 0.45   **04** 96, 0.096
05 0.12   **06** 0.49
07 0.496   **08** 0.712
09 0.084   **10** 0.204
11 0.175   **12** 0.546
13 0.1488   **14** 0.2025
15 0.16   **16** 0.171
17 6, 9   **18** 7, 5
19 2, 4, 8, 6
20 7, 5, 9, 3, 0.6975 / 5, 9, 3, 7, 0.2183

개념 **10** **1**보다 큰 소수끼리의 곱셈 알아보기 | 76쪽

01 15, 21, 315, 3.15
02 267, 12, 3204, 3.204
03 105, 217, 22785, 2.2785
04 612, 6.12   **05** 4602, 4.602
06 $\dfrac{12}{10} × \dfrac{24}{10} = \dfrac{288}{100} = 2.88$
07 $\dfrac{615}{100} × \dfrac{13}{10} = \dfrac{7995}{1000} = 7.995$
08 $\dfrac{16}{10} × \dfrac{124}{100} = \dfrac{1984}{1000} = 1.984$
09 $\dfrac{218}{100} × \dfrac{102}{100} = \dfrac{22236}{10000} = 2.2236$
10 9.36   **11** 22.68
12 9.72   **13** 14.3
14 7.224   **15** 17.958
16 7.152   **17** 11.684
18 26.677   **19** 16.38
20 4.845   **21** 4.8114

사고력 기르기 Step 1 | 78쪽

01 6   **02** 4
03 7   **04** 5
05 3   **06** 4
07 25.5   **08** 45.08
09 6, 7, 4, 2, 1, 2, 8, 8, 8
10 5, 6, 7, 4, 8, 9, 4, 6
11 6, 7, 1, 6, 8, 1, 7, 3, 4, 3, 7
12 6, 3, 4, 0, 6, 5, 8, 9, 8, 5

07 가장 큰 수 : **7.5**, 가장 작은 수 : **3.4**
➡ **7.5×3.4=25.5**

08 가장 큰 수 : **9.8**, 가장 작은 수 : **4.6**
➡ **9.8×4.6=45.08**

사고력 기르기
Step 2 | 80쪽

01 19.38
02 25.48
03 83.25
04 풀이 참조
05 풀이 참조
06 4, 3, 1, 5, 2, 22.412 /
2, 4, 5, 1, 3, 3.185
07 6, 5, 2, 8, 3, 54.116 /
3, 6, 8, 2, 5, 9.2
08 7, 5, 1, 9, 3, 698.43 /
3, 7, 9, 1, 5, 56.85
09 7, 6, 3, 8, 5, 648.55 /
5, 7, 8, 3, 6, 208.08

01 곱해지는 수는 **0.5**씩 커지고, 곱하는 수는 **0.2**씩 커지는 규칙입니다.
➡ **5.7×3.4=19.38**

02 곱해지는 수는 **0.3**씩 커지고, 곱하는 수는 **0.4**씩 커지는 규칙입니다.
➡ **5.2×4.9=25.48**

03 곱해지는 수는 **0.7**씩 커지고, 곱하는 수는 **0.6**씩 커지는 규칙입니다.
➡ **11.1×7.5=83.25**

04 (2.5☆1.2)△3.6
={(2.5+1.2)×2.5}△3.6
=9.25△3.6
=3.6×(9.25−3.6)
=20.34

05 1.8☆(5.6△2.9)
=1.8☆{2.9×(5.6−2.9)}
=1.8☆7.83
=(1.8+7.83)×1.8
=17.334

실력 점검
| 82쪽

01 48, 27, 1296, 12.96
02 362, 26, 9412, 9.412
03 855, 8.55
04 11304, 11.304
05 10.29
06 9.28
07 22.94
08 41.4
09 6.804
10 4.266
11 9.85
12 16.264
13 9.27
14 16.848
15 3.3285
16 4.775
17 5
18 2
19 27.9
20 82.17
21 6, 4, 1, 8, 2, 52.562 /
2, 6, 8, 1, 4, 3.752

19 곱해지는 수는 **0.3**씩 커지고, 곱하는 수는 **0.4**씩 커지는 규칙입니다.
➡ **4.5×6.2=27.9**

20 곱해지는 수는 **0.5**씩 커지고, 곱하는 수는 **0.8**씩 커지는 규칙입니다.
➡ **8.3×9.9=82.17**

개념 11 곱의 소수점의 위치 알아보기
| 84쪽

01 876, 8760, 87.6
02 876, 87600, 876
03 876, 876000, 8760
04 10, 10, 75.9
05 100, 100, 7.59
06 1000, 1000, 0.759
07 2.9, 29, 290
08 46.2, 462, 4620
09 1.38, 13.8, 138
10 12.57, 125.7, 1257
11 54.8, 5.48, 0.548
12 298.7, 29.87, 2.987
13 41.5, 4.15, 0.415

14 8.4, 0.84, 0.084
15 736, 7.36 **16** 1026, 1.026
17 1456, 0.1456

사고력 기르기   Step 1 | 86쪽

01 100 **02** 1000
03 10 **04** 100
05 0.1 **06** 0.01
07 0.01 **08** 0.001
09 15, 1.5 **10** 16, 1.6
11 28, 0.28 **12** 41, 0.41
13 65, 0.65 **14** 1000배
15 10000배 **16** 1000배
17 9.5, 0.4 / 0.95, 4
18 165, 1.8 / 16.5, 18

14 ㉠=10, ㉡=0.01이므로 ㉠은 ㉡의 1000배입니다.

15 ㉠=100, ㉡=0.01이므로 ㉠은 ㉡의 10000배입니다.

16 ㉠=100, ㉡=0.1이므로 ㉠은 ㉡의 1000배입니다.

17 잘못 누른 수가 0.95인 경우 : 9.5×0.4=3.8
잘못 누른 수가 0.4인 경우 : 0.95×4=3.8

18 잘못 누른 수가 16.5인 경우 :
165×1.8=297
잘못 누른 수가 1.8인 경우 : 16.5×18=297

사고력 기르기   Step 2 | 88쪽

01 10, 0.1 / 0.1, 10
02 10, 0.001 / 0.01, 1
03 10, 0.01 / 1, 0.1
04 41000 **05** 0.041
06 2, 4, 6 / 2, 8, 7 / 3, 2, 8 / 3, 6, 9
07 4, 8, 6 / 5, 6, 7 / 6, 4, 8 / 7, 2, 9

---

08 1, 6, 1 / 3, 2, 2 / 4, 8, 3 / 6, 4, 4 / 9, 6, 6

03 45.5+4.55=50.05 또는 4.55+45.5 =50.05이므로 ▨=10, △=0.01 또는 ▨=1, △=0.1입니다.

06 2.5×▨.△=(25×▨△)×0.01이므로 계산 결과가 자연수일 때 25×▨△는 100의 배수입니다.
따라서 ▨△는 4의 배수입니다.

07 1.25×▨.△=(125×▨△)×0.001이므로 계산 결과가 자연수일 때 125×▨△는 1000의 배수입니다.
따라서 ▨△는 8의 배수입니다.

08 6.25×0.▨△=(625×▨△)×0.0001이므로 계산 결과가 자연수일 때 625×▨△는 10000의 배수입니다. 따라서 ▨△는 16의 배수입니다.

실력 점검 | 90쪽

01 7628, 762800, 762.8
02 1000, 1000, 0.625
03 98, 980, 9800
04 18.7, 187, 1870
05 75.9, 7.59, 0.759
06 149.8, 14.98, 1.498
07 3484, 3.484 **08** 1792, 1.792
09 14100, 14.1 **10** 1000배
11 1000배
12 15.8, 2.5 / 1.58, 25
13 15000 **14** 450

10 ㉠=100, ㉡=0.1이므로 ㉠은 ㉡의 1000배입니다.

11 ㉠=10, ㉡=0.01이므로 ㉠은 ㉡의 1000배입니다.

12 잘못 누른 수가 **1.58**인 경우 :
15.8×2.5=39.5
잘못 누른 수가 **2.5**인 경우 : **1.58×25=39.5**

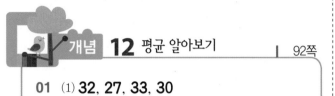

개념 **12** 평균 알아보기 | 92쪽

01 ⑴ **32, 27, 33, 30**
⑵ **28, 27, 30, 33, 32, 30**
02 ⑴ **96, 79, 105, 92**
⑵ **88, 92, 79, 105, 96, 92**
03 **86, 74, 92, 76, 4, 82**
04 **7, 8, 9, 4, 9, 5, 6, 7**
05 **92**   **06** **45**
07 **152**   **08** **113**

05 (90+106+94+92+78)÷5
=460÷5=92

06 (20+35+42+48+70+55)÷6
=270÷6=45

07 (143+158+153+149+152+157)÷6
=912÷6=152

08 (122+119+89+136+98+100+127)
=791÷7=113

사고력 기르기 Step 1 | 94쪽

01 15살   **02** 16살
03 19살   **04** 37.8 kg
05 39 kg   **06** 2.25점
07 4.5점   **08** 64
09 89   **10** 136

01 4명의 평균 나이는
(9+11+8+12)÷4=10(살)이므로
새로운 회원의 나이는 10+5=15(살)입니다.

02 4명의 평균 나이는
(11+10+13+10)÷4=11(살)이므로
새로운 회원의 나이는 11+5=16(살)입니다.

03 5명의 평균 나이는
(12+14+13+11+15)÷5=13(살)이므로
새로운 회원의 나이는 13+6=19(살)입니다.

04 (38.8×8+37×10)÷(8+10)
=680.4÷18=37.8(kg)

05 (39.5×12+38.4×10)÷(12+10)
=858÷22=39(kg)

06 사회 점수가 98점인 것을 89점으로 잘못 표기하
였으므로 총점의 차이는 98−89=9(점)입니다.
따라서 평균 점수의 차는 9÷4=2.25(점)입니다.

07 사회 점수가 86점인 것을 68점으로 잘못 표기하
였으므로 총점의 차이는 86−68=18(점)입니다.
따라서 평균 점수의 차는 18÷4=4.5(점)입니다.

08 ■+▲+●=(120+130+134)÷2=192
이므로 평균은 192÷3=64입니다.

09 ■+▲+●=(182+178+174)÷2=267
이므로 평균은 267÷3=89입니다.

10 ■+▲+●=(270+262+284)÷2=408
이므로 평균은 408÷3=136입니다.

사고력 기르기 Step 2 | 96쪽

01 116   **02** 221
03 347   **04** 59
05 97   **06** 9점
07 6점   **08** 8.5점
09 8.8점

01 같은 수만큼 커지는 규칙으로 수를 늘어놓은 후
평균을 구하면 가운데 놓인 수가 평균이 됩니다.
따라서 65번째 수까지의 평균은 33번째에 놓이
는 수와 같습니다.
주어진 수들의 규칙은 2씩 커지는 규칙이므로 평
균은 52+(33−1)×2=116입니다.

정답 및 해설 **125**

02 주어진 수들의 규칙은 5씩 커지는 규칙이므로 평균은 $61+(33-1)\times5=221$입니다.

03 주어진 수들의 규칙은 7씩 커지는 규칙이므로 평균은 $123+(33-1)\times7=347$입니다.

04 (수 카드에 적힌 모든 수들의 합)$=59\times5=295$
(가, 나, 다에 적힌 수들의 합)$=55\times3=165$
(다, 라, 마에 적힌 수들의 합)$=63\times3=189$
➡ (다에 적힌 수)$=165+189-295=59$

05 (수 카드에 적힌 모든 수들의 합)
 $=106\times5=530$
(가, 나, 다에 적힌 수들의 합)$=79\times3=237$
(다, 라, 마에 적힌 수들의 합)$=130\times3=390$
➡ (다에 적힌 수)$=237+390-530=97$

06 $\dfrac{(8\times1)+(9\times2)+(10\times1)}{(1+2+1)}$
 $=\dfrac{36}{4}=9$(점)

07 $\dfrac{(5\times2)+(8\times1)}{(2+1)}=\dfrac{18}{3}=6$(점)

08 1차 시험 점수가 8점 이상인 학생 수는 18명이고 2차 시험의 총점은
$(6\times1)+(7\times1)+(8\times7)+(9\times6)$
 $+(10\times3)=153$(점)
이므로 평균은 $153\div18=8.5$(점)입니다.

09 2차 시험 점수가 9점 이상인 학생 수는 10명이고 1차 시험의 총점은
$(7\times1)+(8\times3)+(9\times3)+(10\times3)$
 $=88$(점)
이므로 평균은 $\dfrac{88}{10}=8.8$(점)입니다.

실력 점검
| 98쪽

01 (1) 56, 58, 48, 54
 (2) 52, 50, 54, 60, 56, 48, 58, 54
02 30   **03** 46
04 32   **05** 45
06 91   **07** 12살

---

08 153 cm   **09** 566
10 372

03 $(46+48+42+40+54)\div5$
 $=230\div5=46$

04 $(35+28+32+28+40+29)\div6$
 $=192\div6=32$

05 $(20+70+42+35+48+55)\div6$
 $=270\div6=45$

06 $(96+88+92+87+94+82+98)\div7$
 $=637\div7=91$

07 4명의 평균 나이는
$(18+15+16+19)\div4=17$(살)이므로
새로운 회원의 나이는 $17-5=12$(살)입니다.

08 $(156.5\times14+148.1\times10)\div(14+10)$
 $=3672\div24=153(\text{cm})$

09 ▯$+$▲$+$◉$=(1070+1106+1220)\div2$
 $=1698$이므로 평균은 $1698\div3=566$입니다.

10 (수 카드에 적힌 모든 수들의 합)
 $=360\times5=1800$
(가, 나, 다에 적힌 수들의 합)$=275\times3=825$
(다, 라, 마에 적힌 수들의 합)$=449\times3=1347$
➡ (다에 적힌 수)$=825+1347-1800=372$

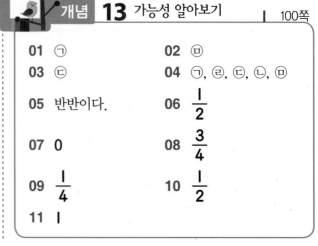

개념 13 가능성 알아보기
| 100쪽

01 ㉠   **02** ㉢
03 ㉢   **04** ㉠, ㉣, ㉢, ㉡, ㉤
05 반반이다.   **06** $\dfrac{1}{2}$
07 0   **08** $\dfrac{3}{4}$
09 $\dfrac{1}{4}$ **10** $\dfrac{1}{2}$
11 1

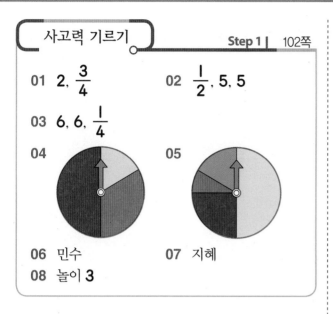

01 2, $\dfrac{3}{4}$

02 $\dfrac{1}{2}$, 5, 5

03 6, 6, $\dfrac{1}{4}$

04

05

06 민수

07 지혜

08 놀이 3

06 화살이 동물 이름에 멈출 가능성이 채소 이름에 멈출 가능성보다 더 높으므로 민수에게 더 유리한 놀이입니다.

07 화살이 초록색에 멈출 가능성이 파란색에 멈출 가능성보다 더 높으므로 지혜에게 더 유리한 놀이입니다.

08 〈놀이 3〉은 각각의 일이 일어날 가능성이 같으므로 공평한 놀이가 됩니다.

01 10

02 5

03 18

04 8

05 36가지

06 8가지

07 $\dfrac{2}{9}$

08 $\dfrac{7}{36}$

09 $\dfrac{7}{36}$

05 처음 던져 나온 눈의 수는 1부터 6까지 6가지이고, 두 번째 던져 나온 눈의 수도 1부터 6까지 6가지이므로 주사위의 눈이 나오는 경우는 모두 6×6=36(가지)입니다.

06 점 ㉮가 점 ㄷ에 오려면 나온 눈의 합이 2, 7, 12이어야 합니다.

(1, 1), (1, 6), (2, 5), (3, 4), (4, 3), (5, 2), (6, 1), (6, 6) ➡ 8가지

07 점 ㉮가 점 ㄷ에 오는 경우는 8가지이므로 $\dfrac{8}{36} = \dfrac{2}{9}$입니다.

08 점 ㉮가 점 ㄹ에 오는 경우는 (1, 2), (2, 1), (2, 6), (3, 5), (4, 4), (5, 3), (6, 2)의 7가지이므로 $\dfrac{7}{36}$입니다.

09 점 ㉮가 점 ㅁ에 오는 경우는 (1, 3), (2, 2), (3, 1), (3, 6), (4, 5), (5, 4), (6, 3)의 7가지이므로 $\dfrac{7}{36}$입니다.

01 ㉠

02 ㉣

03 ㉢

04 ㉤

05 $\dfrac{1}{2}$

06 1

07 0

08 $\dfrac{1}{2}$

09

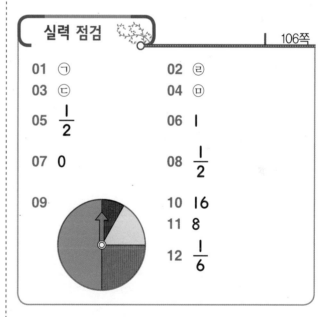

10 16

11 8

12 $\dfrac{1}{6}$

12 점 ㉮가 점 ㅁ에 오는 경우는 (1, 3), (2, 2), (3, 1), (4, 6), (5, 5), (6, 4)의 6가지이므로 $\dfrac{6}{36} = \dfrac{1}{6}$입니다.

Memo